11,00$

L'Allaitement
tout simplement

L'Allaitement
tout simplement

Ligue internationale La Leche

Données de catalogage avant publication (Canada)

Gotsch Gwen

    L'Allaitement tout simplement

    Traduction de : *Breastfeeding*

    Comprend des références, une bibliographie et un index.

ISBN 2-920524-09-7

1. Allaitement maternel – Ouvrage de vulgarisation I. Ligue La Leche du Canada II. Titre

RJ216.G8414   1997   649'.33   C97-940622-6

Traduction de

Breastfeeding Pure and Simple : CÉLINE DUMONT

Révision linguistique : GINETTE TRUDEL

Graphisme : POULIOT GUAY, GRAPHISTES

Coordination : PIERRETTE TREMBLAY

Tirage : 2000 exemplaires

© 1997 Ligue La Leche

Tous droits réservés

Dépôt légal : Bibliothèque nationale du Québec, 1997

Dépôt légal : Bibliothèque nationale du Canada, 1997

Ligue La Leche

C.P. 37046

Saint-Hubert, (Québec)

Canada, J3Y 8N3

Tél. : (514) LA LECHE

Adresse électronique : laleche@montrealnet.ca

Le présent ouvrage est dédié

à tout le personnel, ancien et présent,

du siège social de la Ligue La Leche, des gens

dont l'engagement auprès des mères et des bébés

a changé la vie de familles du monde entier.

❧

Nous apprécions le fait que les bébés naissent de sexes différents et nous en sommes heureuses. Si, dans ce livre, nous désignons le bébé par « il », ce n'est pas par sexisme mais simplement par souci de clarté.

❧

Nous avons choisi d'utiliser le terme « lait artificiel » pour désigner les substituts du lait maternel comme le suggère l'Organisation mondiale de la santé. On définit artificiel comme étant ce qui est fabriqué par l'homme. Cela est bien le cas des laits maternisés, des formules lactées pour nourrissons et des préparations lactées pour nourrissons.

❧

Afin de suivre les recommandations du Comité canadien pour l'allaitement, le terme « allaitement » est ici synonyme d'« allaitement au sein » et d'« allaitement maternel ».

Table des matières

Remerciements

ÉDITION AMÉRICAINE

Ce livre repose sur l'expérience de milliers de femmes qui ont mis en commun leurs connaissances en allaitement depuis la fondation de la Ligue La Leche en 1956. Elles ont créé une tradition d'allaitement dont bénéficient des familles partout dans le monde. Je remercie particulièrement les personnes qui ont travaillé à l'édition de ce livre : David Arendt, Kim Cavaliero, Bill Sears, Jan Riordan, Betty Crase et Marijane McEwan, Elayne Shpak, Lon Grahnke et Judy Torgus qui a eu l'idée de ce livre, qui m'a demandé de l'écrire et qui m'a gentiment harcelée jusqu'à ce qu'il soit terminé.

Gwen Gotsch

ÉDITION FRANCOPHONE

D'abord un immense merci à toutes ces belles familles qui nous ont ouvert leur album de photos pour que nous puissions illustrer cette édition francophone de *L'Allaitement tout simplement*.

Pour vous offrir ce livre il a fallu toute une équipe, d'abord une traductrice sensible, une équipe de lectrices à l'affût, une réviseure, une graphiste amoureuse des bébés et de l'allaitement.

Longue vie à *L'Allaitement tout simplement*.

Préface

Au nom du Comité canadien pour l'allaitement, nous sommes heureuses de souligner la parution de *L'Allaitement tout simplement*, un guide sur l'allaitement, simple et informatif.

Voilà un geste qui s'inscrit tout à fait dans la mission que s'est donné le Comité, c'est-à-dire de faire en sorte que l'allaitement soit la norme culturelle pour l'alimentation du nourrisson au Canada.

Créé en 1991 à l'initiative de Santé Canada pour donner suite au Sommet mondial pour les enfants tenu en 1990, le Comité canadien pour l'allaitement est formé de représentants d'organismes de santé et d'associations professionnelles et d'experts dans le domaine de l'allaitement.

Le Comité canadien pour l'allaitement reconnaît que :

• l'allaitement est le moyen inégalable de procurer l'alimentation, la protection immunologique et l'environnement affectif idéaux pour la croissance et le développement des nouveau-nés ;

• l'allaitement a un effet bénéfique sur la santé des femmes parce qu'il protège certaines femmes contre le cancer du sein et des ovaires et contre l'ostéoporose, et parce qu'il augmente l'intervalle entre les grossesses ;

• l'allaitement est un droit fondamental de l'être humain. Il favorise l'égalité sociale et économique des femmes et contribue à leur donner une bonne estime d'elles-mêmes et une image corporelle positive. Le Comité reconnaît le droit des enfants de jouir du meilleur état de santé possible ;

• l'allaitement procure des avantages économiques intéressants tant à la famille qu'à la société. L'allaitement est une source de nourriture sûre, saine et indépendante, et qui plus est, écologique, parfaitement équilibrée et complète du point de vue nutritionnel. Des mères et des nouveau-nés en meilleure santé grâce à l'allaitement, cela veut dire d'importantes économies au chapitre des soins de santé ;

• la meilleure façon de nourrir les bébés et les jeunes enfants consiste à les allaiter exclusivement jusque vers l'âge d'environ 6 mois et, ensuite, de continuer l'allaitement, tout en introduisant d'autres aliments, jusqu'à l'âge de 2 ans ou plus.

Cheryl Levitt, Collège des médecins de famille du Canada
Coprésidente

Roberta Hewat, Association des infirmières et infirmiers du Canada
Coprésidente

Préface

Il y a 25 ans, je connaissais très peu de choses sur l'allaitement et je ne pensais pas que c'était important. À l'école de médecine, les cours sur l'alimentation du bébé se résumaient à la liste des ingrédients apparaissant sur les boîtes de lait artificiel. Je sortais tout juste de l'école et je commençais ma pratique en pédiatrie quand ma première patiente à allaiter m'a dit qu'elle n'avait pas encore eu de réflexe d'éjection. Je croyais qu'elle parlait de dépression post-partum. Maintenant, après 20 ans de pratique en pédiatrie et en tant que soutien de ma femme, Martha, qui a allaité nos huit enfants, je suis heureux de dire : l'allaitement c'est important.

Il y a des moments où les mères croient que l'allaitement ne consiste qu'à donner, donner, donner. C'est vrai au début de l'allaitement. Les bébés prennent et les parents donnent. Pendant notre expérience d'allaitement, nous avons appris à apprécier la notion de don mutuel : plus vous donnez à votre bébé, plus il vous le rendra. Quand une mère allaite son bébé, elle lui donne nourriture et réconfort. La succion du bébé, en retour, stimule la production d'hormones qui rendent la mère plus maternelle.

Un autre avantage auquel on peut penser est la réceptivité. L'allaitement vous aide à être plus réceptive envers votre bébé et il devient plus réceptif envers vous. Cette réceptivité permet à la mère qui allaite de faire les bons gestes quand elle se demande « Qu'est-ce qu'il veut ? », une question qui revient tous les jours. Les sentiments de l'un des partenaires sont le reflet des sentiments de l'autre. Le bébé apprend à se connaître par l'entremise de sa mère. Elle lui montre qu'il est important à ses yeux et, par conséquent, il se sent valorisé. L'allaitement aide les mères à comprendre plus vite ces sentiments et à les nourrir plus longtemps.

L'Allaitement tout simplement résume tout ce que doit savoir la mère qui allaite. Ce petit livre, mine de renseignements, aidera les nouvelles mères et leurs nouveau-nés à créer des liens et à les entretenir. En tant qu'auteur, j'ai vivement apprécié la façon magistrale dont Gwen Gotsch a présenté autant d'informations en si peu de pages. Cet ouvrage reflète parfaitement la maxime qui dit : « Dans les petits pots, les meilleurs onguents ».

Les mères qui allaitent pour la première fois et les professionnels de la santé trouveront agréable la lecture de ce livre, source précieuse d'informations sur l'allaitement.

William Sears, médecin
Professeur assistant en pédiatrie
École de médecine Université de la Californie du Sud

Préface

En France, le discours est unanime : « le lait maternel est meilleur pour le bébé ». Toute mère est capable d'allaiter son enfant. Pourtant, combien sont vite convaincues de ne pas avoir assez de lait, combien sont vite découragées, et je les comprends.

Car le discours en faveur de l'allaitement n'est que théorique. Il est assorti en pratique de tant d'idées fausses. Il y a les interdits (« Pas de cerises au menu pour vous, vous allaitez ! »), les prédictions terribles (« Vous l'allaitez plus de 10 minutes ? Vous allez avoir des crevasses ! »), les consignes éducatives (« Vous l'allaitez à la demande ! Il va être capricieux ! ») et les expériences négatives (« Tu sais, je n'ai pas pu t'allaiter, je n'avais pas de lait ! »)… que nourrir son bébé au sein dans notre culture est un véritable exploit. Or, ce livre combat toutes ces idées reçues en vous donnant des conseils pratiques dont j'ai absolument vérifié le bien-fondé dans ma vie quotidienne de pédiatre en maternité depuis 25 ans.

Enfin, vous allez lire que vous pouvez manger tout ce qui vous plaît en allaitant. Mais oui, même du choux, de l'ail, une tasse de café ou une coupe de champagne ! Raisonnablement bien sûr. Enfin, vous allez savoir qu'il n'est pas nécessaire de sevrer bébé pour faire un petit régime amaigrissant et retrouver la ligne ! Enfin, vous n'allez pas penser que vous n'avez pas suffisamment de lait parce que votre bébé demande à téter à nouveau au bout d'une demi-heure… c'est normal ! Enfin, vous allez pouvoir passer de bonnes nuits, bébé lové contre vous et papa enveloppant le tout. Mais non ! vous n'allez pas lui donner de mauvaises habitudes…

Tant d'idées fausses courent en France sur l'allaitement. C'est l'une des caractéristiques sociologiques les plus particulières à notre société. En Suède, en Grande-Bretagne, aux États-Unis, au Japon, en Argentine, la majorité des mères allaitent tout naturellement et longtemps. Non parce qu'elles ont plus de lait mais parce que la société, leur entourage, leur famille, les amis, les passants du *square*, les passagers de l'autobus, tout le monde trouve qu'un bébé au sein, c'est normal. En France, les réflexions négatives surgissent de partout, dès le début de l'allaitement, et de plus en plus, même s'il dure seulement quelques mois. C'est pourquoi je comprends tout à fait les réticences des jeunes mamans : c'est si difficile dans ces conditions. Mais je leur conseille de lire ce livre et d'essayer. Oui, tout simplement d'essayer. Car, sachez-le, vous pouvez allaiter simplement une dizaine de jours, et c'est déjà très important. Très important à cause du colostrum avec lequel vous aurez protégé votre nouveau-né ; très important parce que vous serez heureuse de l'avoir eu au sein même quelques jours seulement ; très important parce que si vous êtes bien accompagnée, vous aurez sûrement envie de continuer plus longtemps. Et convaincu votre compagnon.

Parce qu'un allaitement maternel réussi est vraiment magique pour le bébé et pour la maman.

Bien sûr, le lait maternel est une substance extraordinaire :

• C'est une substance vivante pleine de petites cellules de défense qui bougent et mangent les virus auxquels le nouveau-né est exposé dès son premier cri. Sans le lait maternel, il est nu au milieu des microbes.

• C'est une substance humaine, exclusivement humaine, dont les composants ne peuvent pas déclencher d'allergie au moment où le nourrisson est si sensible aux allergènes de l'alimentation.

• C'est une substance adaptée à votre bébé. Votre corps adapte son lait selon le terme de votre bébé, selon l'heure de la tétée, selon le début ou la fin de la tétée.

Aucun laboratoire ne peut reproduire toutes ces qualités.

Mais l'observation des bébés montre que l'allaitement au sein apporte beaucoup plus encore : lorsque bébé tète, il se nourrit bien sûr, mais aussi il se rassure. Il fusionne à nouveau son corps avec le vôtre, il retrouve l'unité d'origine qui le réconforte. Et lorsqu'il est apaisé, détendu, ses petites mains s'ouvrent, ses yeux et ses oreilles aussi. Il vous dévore des yeux, il capte son environnement, il est en stratégie de recherche. Mais si vous voulez le retirer du sein trop tôt, il s'y raccroche. Pour se rassurer encore. Il a besoin de se libérer très progressivement de votre enveloppe, celle que vous formiez dans votre ventre, celle que vous formez avec vos bras. Plus vous lui donnerez de sécurité, plus il sera apte ensuite à se tourner vers le monde extérieur en toute confiance. C'est une toute petite période dans votre vie. Ce livre vous aidera à la vivre pleinement. L'idéal serait qu'il soit lu par les mamans avant même qu'elles aient mis leur bébé au monde, pour être bien préparées ; mais aussi par les pères, les puéricultrices et tous les partenaires de santé qui entourent la nouvelle maman. Faute d'un bon accompagnement, il y a, heureusement, cette merveilleuse chaîne de mamans compétentes et bénévoles que représente La Leche League, et qu'on ne remerciera jamais assez pour être si disponibles à vos appels.

Quel bonheur pour une pédiatre totalement amoureuse des bébés que d'avoir l'occasion de vous conseiller ce livre !

Edwidge Antier, pédiatre
Paris, France

Chapitre 1

Allaiter aujourd'hui

😋Les mères sont d'accord, l'expérience en vaut la peine.

Allaiter son bébé exige certains efforts, mais cela apporte aussi bien des récompenses. Un bébé vigoureux et en bonne santé fait partie de ces récompenses et, pour la mère, le sentiment d'avoir vraiment accompli quelque chose en constitue une autre. Au fil des ans, bien des mères qui allaitent se sont arrêtées pour contempler les yeux brillants de leur bébé de 3 ou 4 mois en train de téter, un bébé bien plus grand qu'à la naissance. Elles ont souri, fières d'elles, en pensant : « J'ai réussi. Mon lait fait grandir mon bébé. »

L'allaitement est un choix sensé car le lait maternel est l'aliment par excellence pour le bébé. Il contient tous les éléments nutritifs dont le bébé a besoin. De plus, il le protège contre les infections et les maladies. Il provient du même corps qui nourrissait le bébé dans l'utérus, qui l'enveloppait et le rassurait tendrement et qui permet maintenant à l'enfant en croissance de se sentir en sécurité pendant qu'il découvre ce nouveau monde passionnant mais aussi, parfois, impressionnant. Le lait maternel est là, chaud, exquis et disponible, pour nourrir et consoler le bébé.

L'allaitement n'est pas toujours rose. Bien sûr, il est naturel. Mais il s'avère aussi un art, une compétence qui requiert apprentissage et pratique, tout comme le maternage. La mère et le bébé apprennent l'un de l'autre durant les premiers jours, les premières semaines. Au fil du temps, ils font de nouvelles découvertes. Certaines leçons s'apprennent rapidement alors que d'autres demandent plus de temps. Les problèmes trouvent plus facilement leurs solutions si l'entourage est favorable à l'allaitement, mais de nombreuses mères réussissent quand même à allaiter leur bébé sans soutien.

Ce livre constitue une introduction à l'art de l'allaitement. On vous y indique ce que vous devez savoir pour commencer l'allaitement et pour continuer d'allaiter votre bébé au cours des premiers mois. On traite également des sentiments qui accompagnent l'allaitement et des façons de surmonter les difficultés courantes. Avec du soutien et une bonne information, l'allaitement peut s'avérer une expérience heureuse et incomparable tant pour votre bébé que pour vous.

🐦 Pourquoi les mères choisissent d'allaiter

Dans bien des familles, l'allaitement est un choix qui va de soi. En effet, on préfère un produit « entièrement naturel » à celui qui est fabriqué en usine. Le lait maternel a subi le test du temps. Ses propriétés particulières ne peuvent être reproduites dans les laits artificiels. Les bébés allaités profitent donc d'avantages nutritifs, immunologiques et psychologiques importants.

Le lait maternel représente la norme nutritionnelle à laquelle on compare les laits artificiels. Certaines de ses propriétés en font un aliment de qualité supérieure. En effet, la composition du lait maternel évolue continuellement pour répondre aux besoins changeants du bébé en croissance. Le premier lait, cette substance jaune et épaisse appelée « colostrum », est riche en protéines, faible en gras. Le colostrum contient aussi une forte concentration d'anticorps qui sont particulièrement importants pour le bébé dans les jours qui suivent la naissance. À mesure que les seins de la mère commencent à produire plus de lait, les concentrations de protéines et d'anticorps diminuent graduellement, les taux de gras et de lactose augmentent, ainsi que le nombre total de calories. Lorsque le bébé vieillit, la composition du lait varie moins, mais au moment du sevrage, le lait changera encore. Une étude a démontré que le bébé plus âgé, qui tète davantage pour se consoler que pour se nourrir, reçoit une plus grande concentration d'anticorps. Encore une fois, l'allaitement joue son rôle contre les maladies en protégeant l'enfant qui se sèvre.

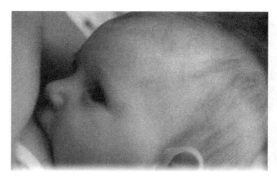

Le lait de la mère permet de protéger son bébé contre beaucoup de maladies présentes dans leur entourage.

L'allaitement protège contre les infections

La liste des éléments protecteurs contenus dans le lait maternel est longue. Les chercheurs commencent seulement à découvrir la façon dont ces éléments travaillent tous ensemble pour protéger le bébé contre les infections. Des études qui ont comparé des groupes de bébés allaités avec d'autres nourris au biberon démontrent clairement que les bébés allaités sont moins souvent et moins gravement atteints de diarrhée, d'infections respiratoires, d'otites et d'autres maladies fréquentes. Les bébés allaités risquent beaucoup moins d'être hospitalisés pour une maladie grave. De plus, ils sont aussi moins sujets à être victimes du syndrome de mort subite du nourrisson.

Une des caractéristiques particulièrement intéressantes des avantages protecteurs de l'allaitement est que le lait de chaque mère aide à protéger son bébé contre la plupart des maladies présentes dans leur entourage. Quand la mère est exposée à une bactérie ou à un virus, son système immunitaire, mieux développé, produit rapidement des anticorps qui sont transmis au bébé par le lait. Cela est important car les très jeunes bébés ne peuvent se défendre aussi bien que les adultes contre les infections. Si la mère ne se sent pas bien, qu'elle a le rhume ou la grippe, elle ne devrait pas cesser d'allaiter son bébé ni même hésiter à le faire. Son lait ne causera aucun tort à son bébé. En fait, il lui permettra de combattre l'infection.

Le lait maternel contient tous les éléments nutritifs dont le bébé a besoin.

Le lait maternel, l'aliment par excellence

Les bébés allaités ont généralement besoin d'être nourris plus souvent que les bébés nourris au biberon. Une des raisons à cela est que le lait maternel est très bien adapté au système digestif du bébé et qu'il se digère très rapidement. Les protéines du lait maternel sont à 60 p. 100 des protéines lactosériques et à 40 p. 100 de la caséine ; cette combinaison donne un caillé très souple facile à digérer. (Le lait de vache contient seulement 20 p. 100 de protéines lactosériques et 80 p. 100 de caséine.) Le gras contenu dans le lait maternel est aussi très digestible grâce à une enzyme, la lipase, qui maintient les globules gras petits et entièrement digestibles. Puisque le gras constitue la principale source d'énergie du nourrisson, sa grande disponibilité est primordiale à la croissance du bébé.

À part le gras et les protéines, les principales autres composantes du lait maternel sont l'eau et le lactose ou sucre du lait. Le taux de lactose est plus élevé chez les espèces ayant de gros cerveaux ; alors il n'est pas surprenant que le lait maternel contienne plus de lactose que le lait de vache. Ce sucre est important pour la croissance du nouveau-né, le développement de son système nerveux central et l'absorption du calcium. Par ailleurs, le lait maternel fournit au bébé toute l'eau dont il a besoin. Les bébés allaités n'ont pas besoin de suppléments d'eau même sous des climats très chauds et secs.

Toutes les vitamines, les minéraux et les oligo-éléments dont le bébé a besoin pour grandir, se développer et être en bonne santé se trouvent dans le lait maternel. Le taux de fer est faible, comme dans tout lait de mammifère, mais ce fer est absorbé et utilisé de façon beaucoup plus efficace que celui que contiennent les laits artificiels additionnés de fer. Les bébés allaités n'ont donc pas besoin de suppléments de fer. Les taux élevés de potassium et les faibles taux de sodium du lait maternel pourraient aider à prévenir l'hypertension. De plus, les vitamines du lait maternel comblent tous les besoins du bébé. Certains médecins recommandent de donner des suppléments de vitamine D aux bébés allaités, mais la plupart des mères et des bébés n'en ont habituellement pas besoin.

La science commence tout juste à étudier les effets des diverses enzymes et hormones du lait maternel sur le développement du bébé. Certaines aident à la digestion, d'autres jouent un rôle dans la destruction des bactéries. Les hormones du lait maternel contribuent à l'ajustement des réactions biochimiques du nouveau-né à l'alimentation et favorisent la croissance et le développement du système digestif. Les laits artificiels ne peuvent reproduire ces fonctions hautement spécialisées.

L'allaitement rapproche la mère et son bébé

L'allaitement est une expérience tout à fait différente de l'alimentation au biberon. Le bébé allaité est serré contre sa mère, il touche sa peau douce et chaude. Le mamelon est souple et flexible, il épouse la forme de la bouche du bébé. Le bébé tète à son propre rythme et c'est cette succion qui détermine le débit du lait et la fin de la tétée. Un bébé affamé tétera avidement jusqu'à ce que sa faim soit apaisée. Un bébé maussade tétera davantage pour se consoler et le peu de lait qu'il recevra, ajouté au rythme de la succion, l'apaisera. Que la mère regarde fixement son bébé dans les yeux, qu'elle parle, qu'elle lise ou qu'elle écoute la télévision pendant la tétée, son corps, lui, est disponible. La tétée est toujours associée à la chaleur et à la sécurité que représente la mère.

Les bébés font savoir à leur mère qu'ils apprécient la tétée : ils gigotent de plaisir, ils sourient, ils gazouillent, ils s'amusent, ils s'endorment heureux. Ils donnent à leur mère le sentiment d'être importante, spéciale et compétente. Des tétées fréquentes, en réponse aux signaux de faim du bébé, apprennent à la mère à comprendre le comportement de son bébé et à répondre avec souplesse à ses besoins. La prolactine et l'ocytocine, les hormones qui régissent la production et l'écoulement du lait, entraînent aussi une sensation de calme, de détente et des élans d'amour. La mère et son bébé profitent tous les deux de l'intimité que procure l'allaitement.

Les bébés allaités donnent à leur mère le sentiment d'être spéciale.

Allaiter, c'est pratique

L'allaitement est à la fois économique, pratique et écologique. Au Québec, il faut compter de 30 à 35 $ par semaine pour l'achat de lait artificiel. Le lait maternel, par contre, est gratuit et disponible en tout temps, partout. Lorsqu'on allaite, il n'est pas nécessaire de mélanger une préparation, on n'a pas besoin de s'inquiéter du nombre de biberons à apporter au cours d'une sortie, de la façon de les garder au frais ou de les réchauffer le moment venu. De plus, le lait maternel ne pollue pas l'environnement. En effet, sa production et sa distribution ne requièrent pas de consommation d'énergie, d'emballage jetable, d'expédition d'un bout à l'autre du pays, ni de faire l'élevage de vaches qui causent un surplus de méthane dans l'atmosphère.

L'allaitement permet à la mère affairée de s'asseoir souvent pendant la journée et de se détendre un peu, de lire un livre ou de jouer avec son enfant plus âgé. Les tétées de nuit sont faciles, et bien souvent l'allaitement permettra à la mère et à son bébé de se rendormir rapidement. Bien que les détracteurs de l'allaitement aiment à dire que c'est « peu pratique » et « difficile dans notre société industrialisée », les mères expérimentées pensent généralement que le principal avantage de l'allaitement, c'est son côté simple et pratique.

❧ La confiance en soi, indispensable aux mères qui allaitent

L'allaitement met à contribution le cœur, l'esprit de même que le corps de la mère, et une large part de l'apprentissage de l'allaitement consiste à acquérir de l'assurance. Cependant, il peut parfois s'avérer difficile d'avoir confiance en l'allaitement.

Il y a plusieurs générations, les mères ne consultaient pas de livres pour savoir comment allaiter. Elles apprenaient à le faire en voyant d'autres mères allaiter leur bébé sain et vigoureux de même qu'elles apprenaient des difficultés des autres. À cette époque, presque tous les bébés étaient nourris au sein car ceux qui étaient nourris « à la main » au lait d'animaux ou avec d'autres boissons ne survivaient pas toujours.

L'alimentation artificielle n'est heureusement plus aussi risquée de nos jours si la mère a accès à de l'eau potable, à une source d'énergie et si elle peut se procurer des laits artificiels à un coût abordable (des conditions difficiles à satisfaire dans plusieurs parties du monde). Toutefois, même si le lait maternel demeure la norme en ce qui concerne l'alimentation du bébé, l'alimentation artificielle est maintenant fréquente et bien ancrée dans les mœurs. Des biberons sont imprimés sur les décorations, les cartes et les papiers d'emballage pour bébé. La télévision fait la publicité des laits artificiels. Les mères trouvent des coupons-rabais dans leur boîte aux lettres, juste au moment où leur bébé a une poussée de croissance et où elles ont peut-être des doutes quant à leur production de lait. Certains hôpitaux offrent des échantillons de lait artificiel même aux mères qui allaitent lorsqu'elles quittent l'hôpital, ce qui sous-entend que l'allaitement peut être un échec. Peut-on s'étonner que les nouvelles mères aient des doutes et des inquiétudes face à l'allaitement ?

L'allaitement fonctionne vraiment et c'est très simple dans la plupart des cas. La confiance en soi viendra avec l'expérience. De nos jours, cependant, la plupart des femmes enceintes n'ont pas été allaitées et, à moins qu'elles n'aient des amies qui allaitent, elles n'ont peut-être jamais vu de près un bébé saisir le mamelon et téter activement. Il existe toutefois des façons d'acquérir de l'expérience avant la naissance du bébé. Se renseigner au sujet de l'allaitement, chercher des professionnels de la santé qui soutiennent l'allaitement et parler à des mères expérimentées qui allaitent avec succès, tout cela aidera la mère à prendre de l'assurance quant à ses capacités d'allaiter son bébé.

L'allaitement n'est pas difficile ni compliqué mais il faut un peu de pratique à la mère et au bébé pour en maîtriser l'art. Les difficultés d'allaitement peuvent et doivent être résolues. La majorité de ces difficultés ne sont pas du tout d'ordre médical mais bien le résultat de l'incompréhension des besoins de la mère et du bébé. Le biberon est rarement la solution à un problème d'allaitement. La meilleure solution reste encore de parler à une personne qui connaît bien l'allaitement.

Les problèmes d'allaitement peuvent être surmontés.

La Ligue internationale La Leche

La Ligue La Leche offre le genre de soutien que bien des femmes jugent essentiel pour réussir leur allaitement. Depuis 40 ans, la Ligue La Leche a acquis ses connaissances sur l'allaitement auprès des mères et des personnes qui les aident. Elle partage ce savoir avec d'autres mères et les professionnels de la santé du monde entier. Le soutien de mère à mère propre à la Ligue La Leche et sa vision pratique du parentage ont permis à des millions de femmes d'apprécier l'allaitement et le maternage de leurs bébés.

Les monitrices[1] de la Ligue La Leche sont disponibles pour répondre à vos questions concernant l'allaitement. Elles ont toutes allaité leurs bébés et sont accréditées par la Ligue internationale La Leche. Des lectures, des ateliers, des congrès et des réunions avec d'autres monitrices les ont préparées à vous

---

1. Animatrices en Europe

donner les renseignements dont vous avez besoin, à vous aider à explorer les avenues possibles pour résoudre vos difficultés et à vous encourager comme vous avez envie de l'être. Si une monitrice de la Ligue La Leche ne peut répondre à une de vos questions sur l'allaitement, elle peut avoir recours au vaste réseau d'information de la Ligue internationale La Leche pour trouver la réponse. Qu'il s'agisse de bébés maussades, de critiques de la part de la famille, d'une diminution de la production de lait, de retour au travail ou de l'obligation de prendre des médicaments, la Ligue La Leche est en mesure de vous aider à trouver une solution.

Les monitrices de la Ligue La Leche tiennent des réunions mensuelles où les nouvelles mères et les femmes enceintes rencontrent des mères expérimentées qui allaitent. On y discute des façons et des raisons d'allaiter, des choses à éviter. Les mères font part de leurs expériences et parlent ouvertement des difficultés qu'elles ont à allaiter ou du stress de la maternité. Chaque mère est assurée d'y trouver non seulement des idées utiles mais aussi des réponses chaleureuses qui l'encourageront dans son maternage.

Aux réunions de la Ligue La Leche, vous verrez des mères aider d'autres mères en partageant avec elles de l'information et en les encourageant à se faire confiance.

Pour connaître le groupe de la Ligue La Leche le plus près de chez vous, consultez la page 117. On pourra alors vous donner le nom et le numéro de téléphone de monitrices de votre région. Vous pouvez aussi obtenir des renseignements sur les réunions de la Ligue La Leche dans votre journal local, au bureau de votre médecin ou auprès de la personne responsable du cours prénatal.

Le soutien est primordial pour les nouvelles mères. Votre conjoint, vos amies, votre famille joueront un rôle important. Ils prendront soin de vous et vous encourageront pendant que vous apprendrez à allaiter et à materner votre bébé. La Ligue La Leche peut elle aussi vous accorder son aide, particulièrement si vous faites face à un problème inhabituel ou si les gens qui vous entourent sont peu favorables à l'allaitement.

Chapitre 2

La préparation

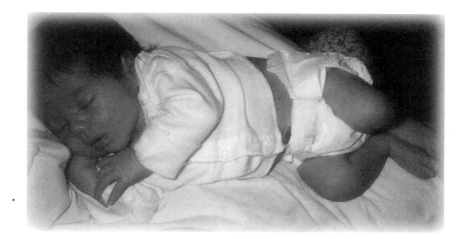

❧ *Durant toute la grossesse, le corps de la femme se prépare à l'allaitement.*

Les seins augmentent de volume et peuvent devenir sensibles à mesure que les glandes mammaires situées à l'intérieur des seins se développent. L'aréole, cercle de peau colorée entourant le mamelon, prend une couleur plus foncée et les mamelons peuvent devenir plus durs et protubérants. Les tubercules de Montgomery, les petites bosses entourant le mamelon, sécrètent une substance qui lubrifie et protège les mamelons. Au cours du deuxième trimestre, les seins commencent à produire du colostrum, ce premier lait au taux d'anticorps particulièrement élevé. Certaines femmes remarquent qu'un peu de colostrum s'écoule de leurs seins vers la fin de la grossesse.

Tous ces changements se produisent, que la mère ait décidé d'allaiter ou non. Donc, la partie la plus importante de la préparation à l'allaitement se fait naturellement et automatiquement. Ainsi, il y a vraiment peu à faire pour se préparer à allaiter.

Par contre, l'arrivée d'un bébé représente un grand changement et un défi. La vie sera plus facile si vous savez à quoi vous attendre et si vous êtes préparée.

☙ Le soin des seins et des mamelons

Si vous prévoyez allaiter, vous commencez sans doute à voir vos seins d'une manière différente. À partir du moment où la silhouette de la jeune fille devient celle d'une femme, les seins font partie intégrante de son image corporelle et de son identité féminine. Certaines femmes aiment leurs seins et d'autres non ; certaines sont à l'aise de les toucher et d'autres en sont gênées. Certaines femmes éprouvent de l'inquiétude face à l'allaitement alors que d'autres sont plus confiantes.

Considérer les seins comme des organes remplissant une fonction, comme une source de nourriture physique et morale pour le nouveau-né, peut sembler bizarre, parfois même affolant, au début. Vous vous demandez si vos seins produiront suffisamment de lait, comment le bébé arrivera à l'extraire et si vos seins redeviendront comme avant, après les changements apportés par la grossesse. Découvrir, après la naissance du bébé, que ce processus fonctionne vraiment peut s'avérer une expérience magnifique, une de celles qui permettent à la femme de mieux apprécier son corps.

La taille et la forme des seins et des mamelons varient énormément. Cependant, la taille des seins n'a aucun effet sur la capacité de la femme à produire du lait pour son bébé. Les petits seins renferment de nombreuses glandes qui sécrètent le lait ; les seins plus gros contiennent davantage de tissus adipeux sans influence sur la production du lait.

L'achat d'un soutien-gorge

La décision de porter ou non un soutien-gorge vous revient. Certaines femmes se sentent plus à l'aise sans soutien-gorge. Que la femme ait décidé d'allaiter ou non, la taille, la forme et la fermeté de ses seins changent pendant la grossesse. L'hérédité et l'effet de la gravité sont davantage responsables de ces changements que le fait de porter ou non un soutien-gorge.

Vous constaterez probablement que vous avez besoin d'un soutien-gorge un peu plus grand durant la grossesse. Il est préférable d'acheter des soutiens-gorge munis de bonnets qui s'ouvrent afin de pouvoir les porter par la suite pour allaiter. Durant vos premières semaines d'allaitement, il vous faudra sans doute des soutiens-gorge d'une taille encore plus grande. Achetez-en pendant les dernières semaines de votre grossesse mais n'en prenez que deux ou trois modèles pour commencer. Si l'un d'eux semble mieux vous convenir, vous pourrez alors en acheter d'autres. Il devrait y avoir un peu de jeu dans les bonnets et quelques rangées d'agrafes à l'arrière du soutien-gorge pour vous permettre de l'agrandir, car les seins augmenteront de volume. Le système de fermeture des bonnets devrait vous permettre de les ouvrir et de les fermer facilement d'une seule main, puisque vous tiendrez votre bébé de l'autre. Votre soutien-gorge se doit d'être confortable, et ne doit pas vous serrer ni vous pincer. Méfiez-vous des armatures car elles peuvent empêcher l'écoulement du lait si elles ne sont pas bien ajustées.

Les soutiens-gorge tout comme les compresses d'allaitement que l'on peut utiliser pour absorber le lait qui s'écoule entre les tétées devraient permettre la circulation de l'air. Cela aide à prévenir les gerçures et la douleur. Le coton constitue le meilleur choix ; évitez les soutiens-gorge et les compresses d'allaitement doublés de matière plastique.

Les chirurgies du sein

Si vous avez déjà subi une chirurgie du sein, cela peut avoir un effet sur l'allaitement. Des canaux lactifères ou des nerfs importants ont peut-être été sectionnés. Dans certains types de réduction mammaire, les canaux sont enlevés, ce qui peut empêcher le lait d'atteindre le mamelon au moment de l'allaitement. Les implants mammaires, quant à eux, ne posent généralement pas de problèmes pour l'allaitement, mais il arrive parfois que des nerfs ou des canaux soient coupés au cours de l'intervention chirurgicale. En vérifiant auprès du chirurgien on peut savoir ce qui a été fait. Toutefois, la seule façon de savoir avec exactitude si l'allaitement est possible, c'est d'essayer d'allaiter en portant une attention particulière aux règles de base : position et prise du sein, indices témoignant que le bébé reçoit suffisamment de lait et tétées fréquentes.

La préparation des mamelons

Il n'y a pas si longtemps, les médecins, les infirmières et même les « mordus » de l'allaitement suggéraient aux femmes enceintes toutes sortes de moyens pour « endurcir » leurs mamelons avant l'arrivée du bébé. On croyait ainsi éviter la douleur pendant l'allaitement. Heureusement cela ne se fait plus. De nos jours, les experts s'entendent pour dire que la plupart des cas de mamelons douloureux sont le résultat d'une mauvaise position du bébé au sein au cours des tétées ou d'une succion inefficace, ou les deux, et que, de toute façon, il est impossible d'endurcir un mamelon. Les mamelons sont censés être souples et sensibles.

La plupart des femmes n'ont pas besoin de faire quoi que ce soit pour préparer leurs mamelons à l'allaitement. Les femmes enceintes et les mères qui allaitent devraient éviter de se laver les mamelons avec du savon. Vous ne tenez certainement pas à enlever les huiles naturelles qui gardent la peau souple. L'application d'une lotion ou d'un hydratant sur les mamelons, en très faible quantité, ne fera pas de tort, mais ce n'est pas nécessaire.

Les mamelons invaginés

Les mamelons plats ou invaginés peuvent rendre la prise du sein plus difficile pour le bébé. Généralement, les bébés trouvent plus facile de saisir un mamelon protubérant. Pendant la grossesse, vérifiez si vos mamelons sont invaginés. En les traitant avant la naissance du bébé, vous vous éviterez bien des frustrations dans les premières semaines d'allaitement.

Pour savoir si vos mamelons sont plats ou invaginés, pressez légèrement l'aréole à environ 2 cm de la base du mamelon. On ne peut faire pointer un mamelon plat par compression ni par stimulation. Quant au mamelon invaginé, il s'enfonce lorsque l'aréole est comprimée. Vos mamelons ne sont pas nécessairement identiques. Une femme peut avoir un mamelon très invaginé alors que l'autre ne le sera que légèrement ou pas du tout.

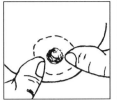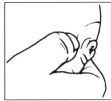

Pour vérifier si vos mamelons sont invaginés, comprimez l'aréole à environ deux cm de la base du mamelon. Ils devraient pointer et non rentrer.

Les mamelons se trouvent invaginés parce que de petites bandes de tissus les relient à la partie interne du sein. Le traitement consiste à étirer ces bandes, permettant ainsi au mamelon de pointer.

Une des façons de traiter les mamelons invaginés est de porter des boucliers. Ce dispositif de plastique rigide et léger est porté à l'intérieur du soutien-gorge. Un anneau, posé sur la peau, exerce une légère pression sur l'aréole et force le mamelon à pointer. La coupole, placée sur l'anneau, éloigne le soutien-gorge du mamelon pour un plus grand confort. Au début, vous ne portez les boucliers que quelques heures, puis vous augmentez la durée graduellement. Après la naissance du bébé, on peut les utiliser avant les tétées pour permettre au mamelon de pointer. Les boucliers sont aussi appelés «coupelles», «coquilles» ou «boucliers de Woolwich». Le port de ces boucliers peut sembler bizarre au début, mais ils sont invisibles sous les vêtements.

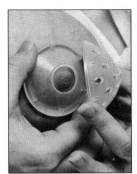

Les boucliers peuvent faire pointer les mamelons invaginés.

La technique de Hoffman est aussi utilisée pour faire pointer les mamelons plats ou invaginés. Voici comment procéder. Placez vos pouces de part et d'autre à la base du mamelon. Appuyez fermement contre le sein et, au même moment, écartez les pouces l'un de l'autre. Placez vos pouces à un autre endroit à la base du mamelon et répétez. Répétez ces étapes plusieurs fois dans la journée. Quand le mamelon commence à pointer, les exercices de roulement du mamelon peuvent aussi se révéler utiles. Avec le pouce et l'index, saisissez la base de votre mamelon. Serrez les doigts et tirez légèrement le mamelon vers l'extérieur en le faisant pivoter de haut en bas.

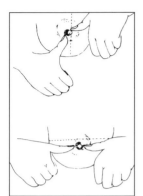

La technique de Hoffman

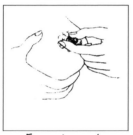

Exercices de roulement du mamelon

Des mamelons invaginés ne devraient pas vous empêcher d'allaiter, même si vous ne faites rien à ce sujet pendant la grossesse. Une attention particulière portée à la position du bébé au sein et de nombreuses occasions de pratiquer permettent à la plupart des bébés nés à terme et en bonne santé de saisir le sein et de faire pointer le mamelon grâce à leur succion.

Si vous avez des questions concernant les mamelons invaginés, ou si vous n'êtes pas certaine que les vôtres le sont, consultez une monitrice de la Ligue La Leche, un professionnel de la santé, un médecin ou une sage-femme ayant des connaissances en allaitement. Plusieurs professionnels qui font le suivi des femmes enceintes vérifient systématiquement si elles ont des mamelons invaginés au moment de l'examen des seins. Si vous avez des questions concernant l'allaitement avec des mamelons invaginés, consultez une monitrice de la Ligue La Leche. Elle peut vous aider à prévenir les difficultés et vous faire des suggestions pour vous préparer à bien entreprendre l'allaitement. Elle pourra également vous indiquer où vous procurer des boucliers dans votre localité.

❧ Le choix d'un professionnel de la santé

De nos jours, la plupart des médecins acceptent l'idée que « le sein est le meilleur choix », mais ils n'en savent pas tous suffisamment au sujet de l'allaitement pour pouvoir aider les mères qui allaitent. La majorité des médecins – et même des pédiatres – apprennent peu de choses concernant les techniques d'allaitement pendant leurs études. Ceux et celles qui connaissent l'allaitement de long en large ont appris sur le tas, en regardant agir d'autres travailleurs de la santé bien informés sur le sujet, en parlant à des mères expérimentées ou en allaitant leurs propres bébés.

Les médecins bien informés et enthousiastes envers l'allaitement aident les mères à bien démarrer l'allaitement et les encouragent à continuer. Les hôpitaux avec des horaires « tenant compte des bébés » font également une différence. Des études ont démontré que les taux d'allaitement varient considérablement selon l'attitude du personnel hospitalier envers l'allaitement.

Le choix du professionnel de la santé peut sembler une tâche intimidante. Vous pouvez être limitée dans votre choix par des circonstances indépendantes de votre volonté, par exemple des limites géographiques ou des clauses de votre programme d'assurance-maladie. Malgré tout, en vous informant, en posant des questions et en établissant vos besoins bien à l'avance, vous pourrez bâtir une bonne relation avec votre médecin, une relation qui pourrait être très importante dans les mois à venir.

Il y a bien des façons de trouver un médecin qui corresponde à vos attentes. Demandez à votre entourage, la plupart des gens sont heureux de recommander leur médecin. Parler aux mères présentes aux réunions de la Ligue La Leche est une façon de découvrir quels sont les médecins favorables à l'allaitement. En téléphonant à votre centre hospitalier ou à une association médicale de votre région, vous pourriez obtenir des noms. Votre obstétricien ou votre sage-femme pourrait aussi vous recommander des collègues favorables à l'allaitement.

Cherchez un médecin qui respecte vraiment vos choix.

Pour en savoir davantage au sujet d'un médecin, téléphonez à son bureau. Le personnel pourra vous renseigner sur les heures de consultation, la façon de le joindre après les heures de bureau, ses associés, sa formation professionnelle, l'hôpital auquel il est affilié, les assurances et, dans certains cas, les honoraires. Lorsque votre liste ne comportera plus que quelques noms, téléphonez pour prendre un rendez-vous afin de parler au médecin.

Dressez une liste des questions que vous souhaiteriez poser au médecin au moment du rendez-vous. Ne vous attendez pas à discuter de toutes vos interrogations au cours de la première visite. Il est important de passer en revue toutes les éventualités, mais il importe davantage de trouver quelqu'un avec qui vous pourrez communiquer, quelqu'un qui vous respecte vraiment et qui s'intéresse à vos besoins et à vos choix, et dont la philosophie de la grossesse et de l'éducation des enfants ressemblent à la vôtre. Trouver un médecin accommodant et prêt à vous aider à résoudre un problème est bien plus important que d'en trouver un qui connaît toutes les « bonnes » réponses.

Le médecin du bébé

Les pédiatres et les médecins de famille soignent les bébés et les enfants. Outre le fait qu'ils sont disponibles en cas de maladies graves, ils font aussi des examens complets du bébé, donnent les vaccins, rassurent et répondent aux questions, qu'elles portent sur un simple rhume, sur des rougeurs ou sur le comportement du bébé, son développement ou sur les compétences des parents.

Quand vous rencontrerez des médecins qui pourraient suivre votre bébé, cherchez à connaître leur opinion sur l'allaitement. Toutefois, il est plus important de savoir quel pourcentage des bébés qu'il traite sont allaités et durant combien de temps. Que pense-t-il des suppléments ? À quel âge ce médecin recommande-t-il le sevrage et quelle méthode conseille-t-il ? Ses enfants ont-ils été allaités ? Que fera-t-il pour vous aider à bien démarrer l'allaitement dans les jours qui suivront l'accouchement ? Ce genre de questions vous en dira davantage sur l'appui que le médecin donne à la mère qui allaite que la seule question : « Que pensez-vous de l'allaitement ? »

Vous trouverez peut-être un médecin favorable et bien informé dès le premier essai, mais il est aussi possible que vous ne trouviez personne de ce genre dans votre localité. Faites alors savoir à votre médecin quels sont vos besoins et vos raisons. Rappelez-vous que la majorité des médecins ont accumulé des connaissances sur l'allaitement grâce à leurs clientes. Votre enthousiasme et vos compétences en allaitement peuvent influencer votre médecin.

Le personnel hospitalier

Durant les 24 à 48 premières heures après la naissance du bébé, les pratiques de l'hôpital occupent une très grande partie de la journée et de la nuit de la mère qui allaite. L'allaitement connaît un meilleur départ si la mère et son bébé peuvent être ensemble tôt et souvent, de préférence tout le temps. Les nouveau-nés ont besoin de téter fréquemment, mais à des intervalles imprévisibles. C'est donc plus facile d'allaiter dans les hôpitaux où le bébé reste avec sa mère jour et nuit ou lorsque la mère et son bébé retournent à la maison très vite après la naissance. Les règlements et les pratiques qui laissent la mère dans une chambre et son bébé à la pouponnière à des périodes précises de la journée perturbent les rythmes naturels de l'allaitement et empêchent la mère et son bébé de faire connaissance.

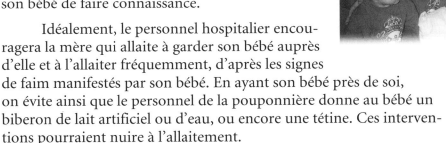

Idéalement, le personnel hospitalier encouragera la mère qui allaite à garder son bébé auprès d'elle et à l'allaiter fréquemment, d'après les signes de faim manifestés par son bébé. En ayant son bébé près de soi, on évite ainsi que le personnel de la pouponnière donne au bébé un biberon de lait artificiel ou d'eau, ou encore une tétine. Ces interventions pourraient nuire à l'allaitement.

Pour en savoir davantage sur les pratiques de l'hôpital, prenez rendez-vous avec l'infirmière responsable du service d'obstétrique. Des visites guidées ou les journées portes ouvertes des hôpitaux, des maisons de naissance ou des maternités constituent une autre façon de se renseigner sur les installations, les pratiques concernant l'allaitement.

Les mères qui allaitent tirent profit d'une expérience de travail et d'accouchement agréable. Le sentiment de s'en être bien sortie et d'avoir été traitée avec respect pendant l'accouchement exerce une influence positive sur votre confiance en vos compétences de mère. Bien que certaines complications exigent le recours à différentes interventions médicales de l'obstétrique moderne, de nombreux appareils technologiques liés à l'accouchement en milieu hospitalier peuvent gêner les efforts de la mère qui veut accoucher de façon naturelle.

De plus, plusieurs médicaments administrés à la mère pendant le travail et l'expulsion entravent la succion du bébé durant plusieurs jours après la naissance.

Renseignez-vous sur l'accouchement, les interventions médicales et les façons de se préparer à vivre l'accouchement en suivant un cours prénatal et en lisant différents documents. Discutez de l'accouchement avec la personne qui vous suivra. C'est parfois une bonne idée de tout mettre par écrit et de demander au médecin de signer votre plan de naissance. Vous pourrez alors en apporter une copie à l'hôpital et la remettre au personnel si l'on vous propose quelque chose que vous ne voulez pas. Vous pourriez aussi demander au médecin de votre bébé de spécifier à l'avance que vous allaiterez fréquemment votre bébé et qu'on ne devra lui donner ni lait artificiel ni eau à la pouponnière.

Évidemment le succès de l'allaitement ne dépend pas d'un accouchement « parfait ». Vous pourrez allaiter, même s'il y a des complications imprévues, même si vous avez une césarienne, même si vous êtes séparée de votre bébé durant un certain temps après la naissance. Vous ne pouvez pas être maître de tout ce qui se passe, même dans les meilleures circonstances. Cependant, vous pouvez être certaine qu'une fois dans vos bras, c'est de vous dont votre bébé aura exactement besoin.

☙ L'adaptation à une nouvelle vie

Après l'arrivée de votre bébé, vous passerez beaucoup de temps à le tenir, le bercer, l'allaiter. L'image que l'on se fait, avant la naissance, d'une maison impeccable, du temps que l'on consacrera aux loisirs et à cuisiner des mets gastronomiques, pendant que le bébé fait une longue sieste, disparaîtra devant la réalité des soins qu'il faut donner sans répit au nouveau-né. Il ne vous restera peut-être pas beaucoup de temps pour autre chose. À la longue, votre vie prendra un train-train quotidien, mais les premières semaines peuvent se passer dans le brouillard pour de nombreuses nouvelles familles.

Prévoir vos besoins après la naissance du bébé vous permettra de passer en douceur d'un style de vie à un autre. N'envisagez pas d'entreprendre de gros travaux pendant les premiers mois. S'il y a de gros travaux de nettoyage à faire, de la décoration qui requiert votre attention, un travail bénévole qui exige du temps ou une échéance à respecter pour une tâche liée à votre emploi, prévoyez de terminer ce travail bien avant votre date prévue d'accouchement. Payez-vous le luxe de consacrer autant d'attention à votre nouveau-né que vous en avez envie. Faites des provisions, cuisinez et congelez des repas à l'avance. Faites le ménage de votre garde-robe et voyez ce que vous pourrez porter les premières semaines après l'accouchement alors que vous n'aurez pas encore repris votre taille. Les ensembles deux-pièces sont les plus pratiques pour allaiter.

Si des parents ou des amies vous offrent leur aide dans les jours ou les semaines qui suivent la naissance, demandez-leur de veiller à ce que votre famille et vous ayez des repas prêts, des vêtements et une maison relativement propres. Dites-leur que ce dont vous avez le plus besoin, c'est d'une personne qui prenne soin de vous de sorte que vous puissiez prendre soin de votre bébé et apprendre à le connaître. Laissez savoir à vos aides éventuelles que vous prévoyez allaiter et que leur appui vous est essentiel.

Vos aides devraient prendre soin de vous pour que vous puissiez prendre soin de votre bébé.

Le retour au travail

Les employeurs, on le comprend, veulent savoir si les mères retourneront au travail après la naissance de leur enfant et à quel moment. Bien que cela demande de la détermination, vous pouvez continuer à allaiter même si vous êtes séparée de votre bébé durant une journée de travail de huit heures. Cependant, vous bénéficierez tous les deux d'un congé aussi long que possible après la naissance pour permettre de bien établir votre production de lait et apprendre à vous connaître mutuellement.

La profondeur de votre attachement à votre bébé peut vous surprendre. Le laisser à une personne qui en prendra soin pendant votre absence sera difficile, pour vous et pour lui. Les bébés ont besoin de la présence de leur mère pour se développer au maximum de leur potentiel.

Si cela est possible, il est bien de ne pas prendre d'engagement ferme quant à la date de votre retour au travail avant la naissance de votre bébé. Quand vous aurez eu la possibilité de vous ajuster à la vie de mère, vous pourrez prendre des décisions en respectant les besoins de votre bébé. Des études ont démontré qu'un emploi à temps partiel est plus propice à la poursuite de l'allaitement qu'un emploi de 40 heures par semaine. Retarder un retour au travail de quelques mois facilite aussi l'allaitement.

Si un maternage à plein temps est possible dans votre cas (ou si vous et votre conjoint pouvez trouver une façon de le rendre possible), songez-y sérieusement. De nombreux psychologues croient qu'un lien solide entre la mère et son bébé est important pour l'image que l'enfant se fait de lui-même et pour sa capacité à établir des liens par la suite.

Demeurer à la maison

Pour bien des femmes, l'arrivée de leur premier bébé, ou parfois de leur second, constitue un virage et elles décident alors de demeurer à la maison à plein temps après avoir travaillé à l'extérieur durant de nombreuses années. Même si vous envisagez avec joie le fait de devenir mère à temps complet, il faut du temps pour s'y adapter. Votre nouveau style de vie comportera de nouvelles exigences, le besoin d'apprendre à gérer votre temps et même d'avoir de nouvelles amies. Que vous soyez en congé de maternité ou que vous entamiez une nouvelle vie comme mère à temps plein, profitez de cette période pour prendre soin de vous. Les moments de calme et de repos qui accompagnent les tétées vous permettront de lire, de regarder la télévision, de parler à des membres de votre famille ou à des amies ou, tout simplement, de penser et de rêver. Cette période de votre vie est unique. Profitez-en.

Chapitre 3

Un bon départ

Les premières tétées sont merveilleuses, émouvantes
😊 *et parfois aussi un peu maladroites.*

Les bébés savent d'instinct comment téter. Malgré cela,
ils pourront avoir besoin d'être guidés légèrement par leur mère,
qui apprend elle aussi. Certains bébés tètent comme des experts
dès la naissance alors que d'autres ont besoin de quelques jours
pour apprendre. Vous pouvez vous sentir maladroite ou démunie
durant ces premières tétées, mais vous vous habituerez très vite
l'un à l'autre.

Le nouveau-né, la nouvelle maman et l'allaitement

Les nouveau-nés naissent avec des réflexes qui leur permettent d'apprendre à téter. Touchez leur joue et ils tournent la tête à la recherche du mamelon. Ils ouvrent grand la bouche, prêts à saisir le sein, et quand ils l'ont saisi, ils tètent et avalent immédiatement. Ils savent même reconnaître quand leur petit ventre est bien rempli et que c'est le moment de s'arrêter.

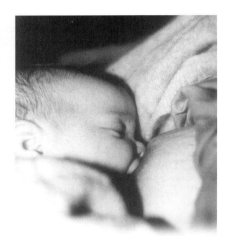

Un nouveau-né cherchera le mamelon, le saisira et se mettra à téter.

Le corps de la mère réagit aussi par réflexe. Après l'expulsion du placenta, les taux d'œstrogène et de progestérone diminuent. Cela permet à la prolactine de bien stimuler la production de lait dans les seins en deux ou trois jours. C'est ce qu'on appelle souvent la « montée de lait »; elle peut être assez surprenante. À partir de ce moment, c'est la loi de l'offre et de la demande qui règle la production de lait : plus le bébé tète et plus il parvient à extraire du lait du sein, plus le corps de la mère produit du lait.

Quand le bébé tète, le corps de la mère libère une autre hormone, l'ocytocine. Cette hormone fait contracter de petits muscles entourant les cellules productrices de lait situées à l'intérieur du sein. Le lait s'écoule alors par les canaux lactifères jusqu'au mamelon. C'est ce qu'on appelle le « réflexe d'éjection ». L'ocytocine fait également contracter l'utérus, ce qui l'aide à reprendre sa taille normale plus rapidement. Ces contractions, bien que bénéfiques, peuvent se révéler plutôt inconfortables durant quelques jours, particulièrement dans le cas d'un deuxième accouchement ou d'un accouchement subséquent. Respirez profondément ou essayez une autre technique de relaxation si ces contractions utérines vous incommodent. Vous pouvez également demander à votre médecin ou sage-femme s'il vous est possible de prendre un médicament contre la douleur ne contenant pas d'aspirine.

Allaiter tôt après la naissance

Au cours de l'heure ou des heures qui suivent la naissance, le nouveau-né est en période d'éveil calme. Son corps est détendu et toute son énergie est concentrée sur les choses qu'il voit et les bruits qu'il entend. Le nouveau-né en état d'éveil calme fixe le visage des adultes et réagit à la voix de sa mère, une voix qu'il connaît déjà bien puisqu'il l'a entendue durant des mois dans le ventre maternel. Ces moments merveilleux ne devraient pas être gâchés à cause de pratiques hospitalières qui séparent le bébé de ses parents. À moins d'un problème  nécessitant une attention immédiate, le nouveau-né demeure avec sa mère. Les gouttes dans les yeux (qui embrouillent temporairement la vision du bébé), le bain et l'examen peuvent attendre jusqu'à ce que les parents et leur bébé aient eu le temps de faire connaissance. Le corps de la mère garde le bébé au chaud, et le personnel médical peut observer la mère et son bébé sans pour autant les séparer.

La mère et le bébé sont souvent prêts à commencer l'allaitement peu de temps après la naissance, dans ces instants magiques où la mère tient ce tout petit enfant qu'elle vient de mettre au monde. Un nouveau-né déposé sur la poitrine de sa mère, peau contre peau, cherchera le mamelon, s'y blottira, le léchera, le saisira probablement et se mettra à téter. Ces premières tentatives d'allaitement apaisent le nouveau-né et le réchauffent. De plus, elles rassurent la mère et aident à prévenir les saignements post-partum grâce aux contractions de l'utérus provoquées par l'ocytocine.

Votre conjoint ou un membre du personnel soignant peut vous donner un coup de main au cours de ces premières tentatives d'allaitement. Vous pourriez avoir besoin d'aide pour bien placer le bébé au sein. Surtout, ne vous souciez pas de tout faire à la perfection la première fois. C'est le moment de vous détendre et de profiter de votre bébé après avoir travaillé fort pour le mettre au monde.

Certains bébés ne chercheront pas à téter à ce moment-là. En effet, ils peuvent être absorbés par toutes ces nouvelles sensations de la vie hors de l'utérus. Dans d'autres cas, la mère et le bébé sont trop fatigués par l'accouchement. Quand les deux se seront bien reposés un peu, ils seront prêts à commencer l'allaitement.

Prévenez votre médecin de votre désir de garder votre bébé avec vous au cours des premières heures après la naissance et de l'allaiter à ce moment. Même si vous avez une césarienne, il devrait quand même être possible de partager ces précieux moments avec votre nouveau-né.

✽   Les débuts de l'allaitement

Cette mère utilise des oreillers pour élever son bébé à la hauteur de ses seins.

Pendant les premières semaines après la naissance, votre bébé et vous aurez beaucoup d'occasions de vous exercer à l'allaitement. C'est important de bien le faire. Les « pros » de l'allaitement, les bébés de 5 ou 6 mois, peuvent téter efficacement dans à peu près n'importe quelle position, même en bougeant. Mais au début, quand votre bébé apprend, soyez très attentive. Votre façon de vous asseoir ou de vous étendre, de tenir le bébé et d'offrir le sein, tout cela modifie la position de la bouche du bébé sur le sein pendant qu'il tète. Si le bébé prend mal le sein, cela pourrait avoir certaines conséquences : des mamelons douloureux pour la mère, un gain de poids lent pour le bébé et de la frustration pour les deux.

Les premières tétées se passeront mieux si le bébé est éveillé et détendu. Prenez quelques minutes pour calmer un bébé agité ou pour l'éveiller avant de lui offrir le sein.

Pour éveiller doucement un bébé endormi, couchez-le sur vos avant-bras placés à angle droit avec votre corps, et repliez-les lentement vers vous pour amener le bébé en position plus verticale. Répétez ces mouvements tout en lui parlant et en l'appelant par son nom. Quand il ouvre les yeux, essayez d'établir un contact visuel, diminuez l'intensité de la lumière pour qu'il puisse garder les yeux ouverts sans difficulté. Si la pièce n'est pas froide et qu'il n'y a pas de courant d'air, déshabillez votre bébé en lui laissant seulement sa couche. Les bébés tètent mieux quand ils n'ont pas trop chaud, et le contact peau à peau avec la mère les stimule davantage. Une couverture légère enroulée autour de vous deux fera un nid douillet pour votre bébé.

Mettre le bébé au sein

Le bébé est couché sur le côté, le ventre contre celui de sa mère, et il est serré contre elle pour téter.

Quand c'est le moment d'allaiter votre bébé, la première chose à faire est de vous assurer que vous êtes installée bien confortablement. Servez-vous d'oreillers pour soutenir votre dos. Vous pourrez ainsi vous asseoir bien droite ou légèrement inclinée vers l'arrière. Placez un ou deux oreillers sur vos genoux pour que la bouche de votre bébé soit à la hauteur de votre mamelon. Votre coude peut aussi reposer sur un oreiller. Vous ne devriez pas avoir à vous pencher vers votre bébé pour l'allaiter. C'est habituellement plus facile d'allaiter dans un fauteuil droit, confortable et muni d'accoudoirs que d'allaiter assise dans un lit d'hôpital. Si vous n'êtes pas très grande, un tabouret ou quelques gros livres placés sous vos pieds vous permettront de vous asseoir plus droite et d'être plus à l'aise. Si vous vous assoyez dans un lit, repliez vos jambes et placez des oreillers sous vos genoux pour vous aider à vous tenir droite.

Tenez votre bébé couché sur le côté, sa tête et ses épaules soutenus par votre avant-bras, votre main tenant ses fesses. Sa tête, son cou et son corps devraient être en ligne droite. Tenez-le serré contre vous, ventre à ventre. Votre bébé ne doit pas tourner la tête pour prendre le sein. (C'est très difficile d'avaler quand on a la tête tournée, essayez !) Son petit bras peut reposer le long de son corps ou s'enrouler autour de votre taille, comme vous aimerez.

Avec votre main libre formant un C, tenez votre sein en plaçant votre pouce sur le dessus et vos doigts dessous, loin derrière l'aréole. Soutenez votre sein, ne le comprimez pas et ne changez pas sa forme. Si vos seins sont lourds, placez une serviette ou une petite couverture roulée sous le sein pour le soutenir. Si vos seins sont petits, vous n'aurez peut-être pas du tout besoin de les soutenir une fois que la tétée sera commencée.

La prise du sein et la succion

Chatouillez légèrement les lèvres de votre bébé avec votre mamelon pour l'encourager à ouvrir grand la bouche. Au moment où il l'ouvre bien grande, rapprochez rapidement le bébé de vous pour qu'il prenne le sein. Votre mamelon doit être au fond de sa bouche; de plus, votre bébé doit prendre au moins 2 cm de l'aréole. Le bout de son nez devrait toucher votre sein. Même serré contre vous, votre bébé n'aura aucune difficulté à respirer. Chez les bébés, le nez est retroussé et les narines sont bien évasées pour leur permettre de respirer pendant qu'ils tètent. Son menton aussi touchera votre sein et ses lèvres seront retournées vers l'extérieur.

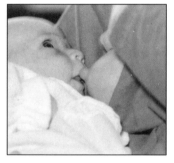

Une bonne position du bébé au sein et de sa bouche sur le sein lui permet de comprimer les canaux lactifères situés sous l'aréole et d'obtenir le maximum de lait. Une bonne position pourra également éviter des douleurs aux mamelons. L'allaitement ne devrait pas faire mal. La douleur aux mamelons est causée par le frottement de la langue et des gencives du bébé sur la peau délicate du mamelon dans les mouvements de succion. Si le mamelon est au fond de la bouche du bébé, les mouvements de succion ne pourront pas l'atteindre ni causer de la douleur.

Difficile ? Essayez encore

Ne vous inquiétez pas si votre bébé ne saisit pas le sein au premier essai. Restez calme et essayez encore. Si votre bébé ne tète que le bout du mamelon, appuyez un peu sur le sein ou introduisez votre doigt dans le coin de sa bouche pour briser la succion et enlevez le bébé du sein. Vérifiez la position du bébé et la vôtre, puis offrez le sein à nouveau. Ne laissez pas votre bébé téter uniquement le bout du mamelon, car vous ressentirez vite de la douleur.

Certains bébés ont besoin d'un peu d'encouragement pour ouvrir grand la bouche. Dites «grand» tout en ouvrant votre bouche bien grande: les nouveau-nés peuvent imiter les expressions faciales des adultes et apprendre à associer un mot à une action. Votre bébé prendra mieux le sein et tétera plus efficacement si vous pouvez lui apprendre à saisir d'un seul coup une grande partie de l'aréole plutôt que d'aspirer le mamelon en deux ou trois mouvements de succion dans sa bouche à demi ouverte.

Si votre bébé se fâche avant d'avoir pris le sein correctement, prenez quelques instants pour le calmer. Tenez-le contre votre épaule, frottez son dos, marchez et quand il est calmé, essayez à nouveau de le mettre au sein. Il ne pourra rien apprendre s'il pleure. Vous constaterez qu'il est plus facile de réconforter un bébé si on s'y prend avant qu'il ne soit trop fâché.

Dites «grand» pour encourager votre bébé à ouvrir la bouche bien grande, comme s'il bâillait.

Si vous devenez frustrée à votre tour, demandez de l'aide à quelqu'un qui apaisera le bébé pendant que vous respirerez profondément ou que vous marcherez un peu. Votre aide peut aussi replacer vos oreillers, vous apporter un verre d'eau ou de jus, tenir une petite main qui vous gêne ou vous aider à trouver à quel moment vous devez rapprocher votre bébé pour qu'il puisse prendre le sein.

Indices d'une succion efficace

Dès que le bébé a pris le sein, il commence à téter. Les premiers mouvements rapides stimulent le réflexe d'éjection. Après que le lait se soit mis à couler, le rythme de succion devient lent et régulier. Le lait est avalé après deux ou trois mouvements de succion. Certaines femmes ressentent une sensation de picotement dans leurs seins au moment du réflexe d'éjection alors que d'autres ne ressentent rien. Cependant, le changement dans le rythme de succion indique avec certitude que le réflexe a eu lieu.

Quand le bébé tète bien, on peut voir ses oreilles (ou ses tempes) bouger en même temps que sa mâchoire inférieure comprime l'aréole et fait couler le lait. Un bébé qui a pris le sein correctement et qui tète bien ne devrait pas laisser glisser le sein facilement. Certains bébés tètent mieux si leur mère est calme et si les sources de distraction sont réduites au minimum. D'autres, du moins pendant les premiers jours, peuvent avoir besoin d'encouragements pour garder l'intérêt. Votre voix et vos caresses peuvent garder votre bébé éveillé et l'inciter à téter jusqu'à ce que son appétit soit satisfait.

Un bébé visiblement satisfait, repu et une maman détendue

À quel moment s'arrêter

Les bébés peuvent décider d'eux-mêmes quand ils ont fini de téter ou quand ils sont prêts à prendre l'autre sein. Limiter la durée des tétées à 5, 10 ou 20 minutes de chaque côté ne prévient pas la douleur aux mamelons et peut entraîner d'autres difficultés. Laissez votre bébé téter aussi longtemps qu'il le veut au premier sein. Quand il aura bu suffisamment, il lâchera le sein de lui-même.

Quand votre bébé lâche le sein, faites-lui faire un rot. Placez-le contre votre épaule, son ventre appuyé sur les os de celle-ci pour aider l'air à sortir. Vous pouvez également l'asseoir pour lui faire faire un rot en lui soutenant la poitrine, le cou et le menton d'une main et en lui tapotant ou en lui frottant le dos de l'autre main. Si cela ne prend qu'une minute environ pour faire son rot, tant mieux, sinon ne vous inquiétez pas, à moins que votre bébé ne semble mal à l'aise. Tous les bébés n'ont pas besoin de faire un rot après la tétée.

Offrez l'autre sein et laissez le bébé téter aussi longtemps qu'il veut, jusqu'à ce qu'il lâche le sein ou qu'il s'endorme. S'il ne tète que peu de temps à l'autre sein, assurez-vous de commencer la prochaine tétée à ce sein.

Si votre bébé s'endort à ce sein, ne le réveillez pas pour lui faire faire son rot. En fait, c'est le moment idéal pour vous assoupir. Si vous êtes bien soutenus tous les deux, bien appuyés sur les oreillers, vous ne risquez pas de laisser tomber votre bébé. Profitez simplement de cette occasion pour relaxer.

Si le rythme de succion de votre bébé ralentit au point de s'arrêter et qu'il semble s'endormir sans avoir tété assez longtemps (au moins 5 à 10 minutes de tétée active à chaque sein), vous pouvez l'enlever du sein et lui faire faire un rot ou le changer de couche pour le réveiller et l'encourager à téter encore un peu.

Pour briser la succion, appuyez sur votre sein, introduisez un doigt propre dans le coin de sa bouche ou abaissez doucement son menton. Ne l'éloignez pas du sein pour lui faire lâcher prise sans avoir brisé la succion d'abord. C'est douloureux!

Autres positions pour allaiter

La position traditionnelle décrite ci-dessus n'est pas la seule position pour allaiter un bébé. Le choix d'une autre position – la position «ballon de football» ou la position transversale – est parfois nécessaire pour certaines raisons.

Quand vous choisissez la position «ballon de football»[2], encore une fois assurez-vous d'être à l'aise, le dos et les épaules bien soutenus par des oreillers. Le bébé vous fait face, votre main soutient sa tête et son cou. Son corps est blotti contre vous, sous votre bras, et ses fesses reposent sur des oreillers pour qu'il soit à la hauteur de votre sein. Servez-vous de votre main libre pour soutenir et offrir le sein. Attendez que votre bébé ouvre la bouche bien grande et rapprochez sa tête. Cette position permet de mieux voir le bébé saisir le sein, et vous pouvez continuer à lui soutenir légèrement la tête pour l'aider à garder la position. Une fois que le bébé a saisi le sein correctement

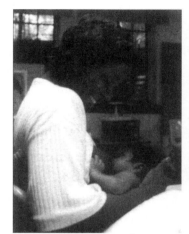

La position «ballon de football»: les hanches du bébé forment un angle et ses pieds sont relevés et n'appuient pas sur le dossier du siège.

La mère soutient l'arrière de la tête de son bébé avec sa main.

2. En Europe, on utilise le terme «position du ballon de rugby» car, dans ce sport semblable au football américain, le ballon est tenu sous le bras, alors que dans le football (soccer), seuls les pieds touchent au ballon.

et qu'il tète bien, vous pouvez vous installer confortablement au creux des oreillers. Si votre main et votre bras s'ankylosent, glissez un autre oreiller ou une couverture pliée sous le bébé. Vous pouvez aussi placer vos pieds sur un tabouret ou une table basse et appuyer votre bras sur votre cuisse.

La position transversale

La position transversale est utile quand le bébé a besoin d'un peu plus d'aide pour prendre le sein. Elle ressemble à la position traditionnelle sauf que vos bras font le travail inverse. Ainsi, si vous allaitez du côté gauche, le bras droit tient le bébé et la main gauche soutient le sein. Placez des oreillers dans votre dos pour être à l'aise et d'autres oreillers sur vos genoux pour élever le bébé à la hauteur du sein. Le bébé est couché sur le côté, face contre vous. De votre main, vous lui soutenez le cou et l'arrière de la tête pendant qu'il prend le sein et qu'il tète. Tout comme pour la position « ballon de football », vous pouvez soutenir la tête du bébé pour lui permettre de garder le sein et de téter. Placez une couverture pliée ou un petit oreiller sous votre avant-bras et votre main si vous ressentez un début de fatigue.

Pour certains bébés, sentir la main de leur mère à l'arrière de la tête ou ses doigts près de leurs joues est une trop grande stimulation. La sensation de peau contre la leur les déroute, et ils tournent la tête vers la main, à la recherche du mamelon. Une petite couverture ou une couche en tissu placée entre votre main et la tête du bébé résoudra le problème.

Allaiter couchée

Allaiter en position couchée a permis à bien des mères fatiguées de prendre le repos dont elles avaient besoin. C'est aussi une bonne façon d'endormir un bébé ou de l'allaiter la nuit sans vraiment interrompre votre sommeil.

Vous serez à l'aise couchée sur le côté, un oreiller contre vos reins, un sous la tête et peut-être un autre entre les genoux. Votre corps ne forme pas un angle droit avec le lit, il est plutôt légèrement incliné vers l'arrière, appuyé contre l'oreiller. (Cette position est confortable aussi dans les derniers mois de grossesse.)

Votre bébé est couché sur le côté, face à vous, sa bouche à la hauteur de votre mamelon, et il est très près de vous. Votre avant-bras et le creux de votre coude lui soutiennent le dos, les épaules et le cou, tout comme dans la position traditionnelle, sauf que vous êtes couchée. Servez-vous de votre main libre pour soutenir et offrir le sein, en encourageant votre bébé à ouvrir la bouche grande et à prendre le sein. Si vous (et votre bébé) préférez, vous pouvez aussi coucher votre bébé sur le lit et replier votre bras sous votre tête. Servez-vous alors d'une couverture pliée, d'une serviette ou d'un oreiller pour garder votre bébé couché sur le côté.

Approchez le bébé tout près de vous pour allaiter en position couchée.

Pour allaiter de l'autre sein, tenez votre bébé contre votre poitrine, roulez sur le dos et reprenez la position. Vous pouvez aussi rester du même côté, vous tourner presque à plat ventre et offrir l'autre sein. Cette deuxième méthode convient mieux à un bébé un peu plus âgé et habitué à prendre le sein.

Certains bébés saisissent le principe de la position couchée dès le départ alors que d'autres ont besoin de grandir un peu pour parvenir à téter dans cette position. Même si vous vous sentez un peu gauche au début, persévérez. C'est une technique qu'il vaut la peine de maîtriser.

Est-ce que je vais y parvenir ?

Toutes ces instructions concernant la position de bébé au sein peuvent faire croire que l'allaitement est difficile et compliqué. Comme pour bien d'autres choses, il faut beaucoup plus de temps pour expliquer comment allaiter un bébé qu'il n'en faut pour le faire. Mettre le bébé au sein devient rapidement une seconde nature pour la plupart des mères.

Voir une mère qui allaite est une façon d'apprendre nettement plus efficace que de lire des directives. En assistant aux réunions de la Ligue La Leche, vous aurez l'occasion de voir des mères qui allaitent leur bébé. Les vidéocassettes sur l'allaitement peuvent aussi être utiles, bien qu'il soit préférable de s'en tenir aux articles qu'offrent les organismes qui encouragent l'allaitement, comme la Ligue La Leche, qu'à ceux qui sont distribués gratuitement aux nouvelles mères par les compagnies de lait artificiel.

Si votre nouveau-né et vous éprouvez des difficultés au début de l'allaitement, n'abandonnez pas, retroussez-vous plutôt les manches. La plupart des problèmes de prise du sein et de succion disparaissent en quelques jours avec de la patience et de la persévérance. Plus vous attendez, plus il faudra de temps pour apprendre au bébé à téter efficacement. Appliquez les principes de base décrits ci-dessus et consultez le prochain chapitre pour d'autres suggestions. Téléphonez à une monitrice de la Ligue La Leche ou, si vous êtes à l'hôpital, demandez à voir la conseillère en allaitement ou une infirmière qui aide depuis longtemps les mères à allaiter. Avec un peu d'aide, vous réussirez en peu de temps.

❧ Des tétées fréquentes

La plupart des nouveau-nés tètent de 8 à 12 fois par 24 heures. Cependant, ces tétées n'auront pas lieu à des intervalles réguliers. Si la cohabitation est possible, vous pourrez offrir le sein à votre bébé quand il semblera avoir faim ou qu'il sera agité. Vous saurez vite décoder ses signaux, quels qu'ils soient : un poing dans la bouche, une petite bouche qui cherche le mamelon, de l'agitation, un pleur particulier.

Les nouveau-nés tètent pour de nombreuses raisons en plus de la faim. Se blottir contre le sein maternel et téter aident à calmer les bébés quand des images ou des sons de cet imposant monde les menacent. Allez-y, offrez le sein si votre bébé semble agité, même si cela ne fait que 10 ou 20 minutes qu'il a tété. Voyez cette tétée comme un dessert pour votre bébé. Le réconfort de l'allaitement et un petit peu plus de lait sont peut-être tout ce qu'il lui faut pour s'endormir. De nombreuses mères trouvent qu'il est plus facile d'allaiter quelques minutes de plus que d'arpenter la pièce avec un bébé maussade dans les bras.

Les nouveau-nés tètent de 8 à 12 fois par 24 heures.

Des tétées fréquentes pendant les premiers jours sont bénéfiques pour la mère et son bébé. En effet, le bébé reçoit beaucoup de colostrum, ce premier lait particulièrement riche en anticorps. Des tétées fréquentes permettent au bébé d'évacuer plus rapidement le méconium, les premières selles, ce qui aide à prévenir la jaunisse. Ces premières tétées donnent aussi au bébé une bonne occasion de maîtriser la prise du sein et la succion avant que la production de lait de sa mère devienne abondante et que l'allaitement au sein ne devienne un plus grand défi. De son côté la mère prend confiance en elle durant ces premières tétées fréquentes. Elles lui rappellent combien elle est importante pour son nouveau-né. Les tétées fréquentes font monter le lait plus tôt et aident à prévenir les problèmes de seins engorgés et douloureux. De plus, l'allaitement permet à l'utérus de reprendre sa taille plus rapidement.

Si votre bébé reste à la pouponnière, demandez qu'on vous l'amène dès qu'il se réveille ou qu'il pleure. Précisez que vous voulez qu'on vous l'amène pendant la nuit pour téter. Dites aux infirmières que vous voulez qu'on vous réveille et que vous ne voulez pas qu'on donne de biberons à votre bébé «pour que vous puissiez vous reposer». En collant une étiquette «pas de biberon, pas de tétine» sur le berceau de votre bébé, vous indiquerez vos désirs à toutes les personnes appelées à prendre soin de lui.

Les risques des biberons et des laits artificiels

Les nouveau-nés allaités n'ont pas besoin de suppléments de lait artificiel ni d'eau sucrée. L'eau sucrée «ne lavera pas la jaunisse», et elle n'est pas non plus nécessaire dans la prévention de l'hypoglycémie chez les bébés en bonne santé. Des tétées fréquentes permettront à votre bébé d'éviter ces deux problèmes. Les suppléments nuisent au principe de l'offre et de la demande qui détermine la quantité de lait produit par la mère. Un bébé dont la faim a été comblée par un lait artificiel ou de l'eau n'aura pas envie de téter avant plusieurs heures. Le corps de la mère réagit à cette baisse de la demande en produisant moins de lait. Si le bébé boit encore plus de lait artificiel ou d'eau, la production de lait de la mère diminue alors davantage et la mère et son bébé s'engagent sur le chemin d'un sevrage précoce.

Les tétines peuvent aussi entraîner de nombreux problèmes d'allaitement pendant les premiers jours. Que la tétine soit placée sur un biberon de lait artificiel, d'eau, de lait maternel extrait à l'avance, ou qu'elle soit une simple sucette, le résultat demeure le même : la succion d'une tétine est différente de la succion du sein maternel. Bien des bébés deviennent confus quand on leur demande d'apprendre à téter les deux en même temps, du moins au début. Ils essaient alors de téter le sein comme s'ils tétaient une tétine de caoutchouc. Cela ne marche pas, la mère et le bébé deviennent alors très frustrés. Allaiter n'est pas plus difficile que de donner un biberon; des études ont démontré que l'alimentation au biberon est en fait beaucoup plus stressante physiologiquement que l'allaitement.

Même si vous avez prévu de retourner au travail ou que vous voulez que votre bébé prenne un biberon occasionnellement, il est préférable d'attendre qu'il ait 4 à 6 semaines – votre bébé aura alors maîtrisé l'allaitement et votre production de lait sera bien établie – avant d'introduire une tétine. Vous avez peut-être entendu dire qu'il est parfois difficile de faire accepter un biberon à un bébé plus âgé, mais il existe des moyens de surmonter cette difficulté si jamais cela vous arrivait. Chez certains bébés très jeunes, le fait de donner un seul biberon, ou une seule fois une sucette, entraîne des problèmes d'allaitement qui peuvent mener à un sevrage précoce.

Si, pour quelque raison que ce soit, votre bébé prend des bibe-rons pendant les premiers jours, tout n'est pas raté. La plupart des bébés n'ont aucun problème à passer du sein au biberon. Cependant, il n'existe aucun moyen de savoir avant de donner un premier biberon si cela engendrera ou non des difficultés chez votre bébé. Il est donc préférable d'éviter les risques et de bien commencer son allaitement. Dans le prochain chapitre, on suggère certaines solutions dans le cas de confusion entre tétine et mamelon.

Les suppléments de lait artificiel risquent aussi de causer des allergies. Les laits artificiels à base de soya, tout comme ceux à base de lait de vache, peuvent provoquer des réactions allergiques, surtout chez un bébé âgé de 1 jour ou 2. En effet, le système digestif encore fragile du bébé peut être indisposé par des aliments étrangers, même si le processus de fabrication a «humanisé» ces préparations. Le lait maternel, lui, protège le système immunitaire encore immature du bébé et le prépare peu à peu à l'introduction d'autres aliments.

L'engorgement

Des seins très pleins, engorgés, peuvent être un problème dans les premiers jours d'allaitement, le temps que votre production de lait s'ajuste à la demande de votre bébé. Allaiter le bébé fréquemment est la meilleure façon de soulager l'engorgement et de parvenir à un équilibre. Appliquez des compresses chaudes et humides sur les seins quelques minutes avant la tétée pour favoriser l'écoulement du lait. Essayez aussi un massage léger. Des compresses froides (de la glace concassée dans un sac de plastique ou même un sac de légumes congelés) réduiront le gonflement et la douleur entre les tétées. N'appliquez pas la glace directement sur la peau des seins, protégez-la à l'aide d'un linge ou d'une serviette. En extrayant un peu de lait avant la tétée, vous assouplirez les seins pour que le bébé parvienne plus facilement à saisir le mamelon au début de la tétée. Bien que vous ne vouliez pas stimuler vos seins à produire davantage de lait, il est important de réduire la pression dans le sein et de prévenir le risque d'obstruction de canaux lactifères.

Ꮽ Boit-il assez ?

Quand vous allaitez, il est facile de vérifier si votre bébé boit assez. C'est vrai, vous ne pouvez pas compter le nombre de millilitres qu'il prend, mais vous pouvez savoir ce qu'il élimine.

Une fois que la « montée de lait » a eu lieu, votre bébé devrait mouiller cinq à six couches jetables par jour ou six à huit couches de tissu. Après l'élimination du méconium, selle noire et goudronneuse, les jeunes bébés allaités auront de deux à cinq selles par 24 heures. Ces selles seront molles, informes et probablement granuleuses. Leur couleur variera du jaune au jaune-vert ou ocre. Elles sont presque inodores tant que le bébé ne boit que du lait maternel. Certains bébés éliminent une petite quantité de selles après presque chaque tétée. Durant les premières semaines, des selles fréquentes sont le signe que le bébé boit une bonne quantité de lait de fin de tétée, un lait sécrété profondément dans le sein et qui coule grâce au réflexe d'éjection. Ce lait est riche en gras et contient toutes les calories dont le bébé a besoin pour grandir.

Si votre bébé mouille plusieurs couches et qu'il fait de nombreuses selles, il n'y a pas lieu de s'inquiéter de la quantité de lait qu'il boit. En effet, tout ce qui entre doit ressortir ! Après l'âge de 6 semaines, les selles des bébés allaités peuvent s'espacer de quelques jours, sans aucun signe de constipation.

Si, un jour ou deux après votre montée de lait, votre nouveau-né ne mouille pas suffisamment de couches et qu'il n'a pas assez de selles, il faudra agir. Lisez le chapitre suivant où l'on parle du gain de poids et téléphonez à une monitrice de la Ligue La Leche pour qu'elle vous aide à trouver des façons de mieux faire téter votre bébé. La plupart des problèmes d'allaitement se règlent rapidement si on leur porte une attention régulière et constante durant quelques jours.

Ꮽ L'allaitement après une césarienne

Les mères qui ont donné naissance par césarienne peuvent allaiter elles aussi. Les mêmes principes s'appliquent. Une fois que le placenta est retiré de l'utérus pendant la chirurgie, le processus hormonal qui stimule la production de lait se met en marche et le lait devient plus abondant en quelques jours. Entre temps, des tétées fréquentes et de nombreux contacts physiques avec votre bébé vous permettront de bien commencer l'allaitement.

Selon les raisons qui ont motivé l'intervention, le genre d'anesthésique utilisé et la possibilité d'avoir de l'aide, vous pourrez prendre et allaiter votre bébé sur la table d'opération ou dans la salle de réveil. Votre conjoint ou une infirmière peuvent vous aider à mettre le bébé au sein ou simplement le tenir, le caresser de la main et lui parler. Si vous avez eu une anesthésie locale plutôt que générale, c'est le moment d'apprendre à connaître votre bébé avant que les effets de l'anesthésie ne se dissipent et que vous commenciez à sentir de l'inconfort. L'anesthésie générale peut vous laisser la sensation d'être abrutie, perdue et pas encore prête à l'idée d'avoir un nouveau-né. Cependant, dès que vous vous sentirez plus alerte, demandez qu'on vous amène votre bébé pour l'allaiter.

Certains hôpitaux mettent systématiquement en contact la mère et son bébé immédiatement après la césarienne, alors que dans bien d'autres, vous devrez demander à voir votre bébé et à le garder près de vous. Si vous savez à l'avance que vous aurez une césarienne, vous pouvez planifier ces moments si importants en faisant part de vos besoins à votre médecin et au personnel hospitalier. Si la césarienne n'est pas prévue, vous ou votre conjoint pouvez toujours demander que vous et votre bébé restiez ensemble aussi longtemps que possible, dans la mesure où les deux se portent bien.

Les positions d'allaitement après une césarienne

S'installer pour allaiter peut nécessiter certaines précautions dans les deux premières journées qui suivent la césarienne. La position couchée sur le côté est souvent bien appréciée. Commencez dans un lit à plat et dont les barreaux sont relevés. Saisissez les barreaux pour vous aider à rouler sur un côté. En plus des oreillers utilisés pour soutenir votre tête et votre dos et celui qui se trouve entre vos genoux, placez un petit oreiller ou une serviette pliée sur votre abdomen pour protéger l'incision des mouvements brusques du bébé. Votre conjoint ou une infirmière peut vous aider à placer le bébé et à changer de côté le moment venu. Après un jour ou deux, vous serez capable de tenir votre bébé sur votre poitrine et, en gardant vos pieds à plat sur le lit, vous parviendrez à déplacer peu à peu vos hanches pour vous tourner de l'autre côté avec votre bébé.

Si vous préférez allaiter assise, assurez-vous de placer des oreillers sur vos genoux pour protéger votre incision et élever votre bébé à la hauteur des seins. La position «ballon de football» vous évitera d'avoir le bébé sur vos genoux, si cela est nécessaire.

Allaitez votre bébé fréquemment, selon ses besoins, sans donner de suppléments ni de tétine. Demandez à ce qu'on vous l'amène dès qu'il se réveille, s'il semble avoir faim ou s'il est agité, même la nuit. La cohabitation est possible après une césarienne, surtout si votre conjoint ou une autre personne peut rester avec vous pour vous aider à changer les couches et pour les tétées. Le personnel hospitalier peut vous donner un coup de main si votre aide ne peut être là en permanence.

Les médicaments et les complications

La plupart des médicaments administrés systématiquement après les césariennes sont compatibles avec l'allaitement. Cependant, certains bébés nés par césarienne peuvent être somnolents durant les premiers jours à cause de l'anesthésie, des médicaments donnés pendant le travail ou des médicaments contre la douleur pris par la mère après la naissance. Tout cela peut nuire à l'allaitement. Vous pourriez alors ne prendre que la dose minimum de médicament pour vous sentir bien, plutôt que le dosage recommandé. Certains médicaments, plus que d'autres, ont tendance à rendre le bébé somnolent ou à modifier sa succion. Si vous avez des inquiétudes concernant les médicaments ou la façon dont votre bébé prend le sein, discutez-en avec votre médecin ou une infirmière.

Les femmes qui ont donné naissance par césarienne sont plus sujettes à faire un peu de fièvre dans les jours qui suivent l'accouchement. On ne devrait pas systématiquement séparer la mère de son bébé à cause de cela. Certains cas de fièvre sont attribuables à un gonflement des tissus du sein. Cela se produit au moment de l'augmentation rapide de la production de lait, quelques jours après la naissance.

Si le médecin veut vous isoler des autres patientes à cause de la possibilité d'une infection, demandez que votre bébé soit isolé avec vous. En vous lavant les mains avant de prendre votre bébé, vous préviendrez les risques de contagion.

L'accouchement par césarienne n'était peut-être pas ce que vous envisagiez durant votre grossesse. Il vous faudra sans doute du temps pour surmonter votre déception et pour accepter ce qui s'est réellement passé. Il peut être difficile pour vous et pour les autres d'avouer ces sentiments de perte et de colère et de vous réjouir en même temps de la naissance de votre nouveau-né. Trouvez quelqu'un à qui vous pourrez parler de vos sentiments, une amie, votre conjoint ou peut-être une infirmière qui sait écouter. Le personnel de l'hôpital ou une monitrice de la Ligue La Leche pourrait peut-être vous indiquer un groupe de soutien pour les mères qui ont accouché par césarienne.

Passez beaucoup de temps à toucher, à prendre et à admirer votre bébé. Ce genre d'interactions positives avec lui vous aidera à surmonter bien des sentiments négatifs qui surgissent au moment d'un accouchement par césarienne non prévu. Allez-y doucement. Chacune d'entre nous essaie vraiment de faire de son mieux, mais nous ne pouvons avoir d'emprise sur tout ce qui nous arrive dans la vie. Même si vous êtes séparée de votre bébé durant les premières heures ou les premiers jours, vous passerez beaucoup de temps dans les mois qui viennent à l'allaiter et à vous apprécier l'un l'autre.

Chapitre 4

Des solutions aux difficultés d'allaitement

Les difficultés d'allaitement ne sont pas inhabituelles et les causes en sont variées.

Les mères ne devraient pas se culpabiliser de ces problèmes. Un manque d'information ou de mauvais conseils en sont souvent la cause. D'autres fois, une partie du problème provient du comportement du bébé. Il faut du temps, même pour une mère ayant allaité ses autres enfants, pour comprendre et allaiter ce bébé unique, pour savoir comment en prendre soin.

La plupart des problèmes d'allaitement se résolvent en un jour ou deux. Les meilleures solutions sont celles qui font travailler conjointement la mère et le bébé. Un sevrage temporaire ou des biberons de suppléments règlent rarement un problème. Au contraire, cela nuit à la production de lait de la mère, à la succion du bébé et au développement de la relation mère-enfant.

Ne laissez pas un problème, qui peut durer au plus quelques jours, vous empêcher de profiter de la joie d'allaiter votre bébé. Cependant, ne tolérez aucune difficulté sur votre chemin. Essayez de comprendre ce qui va mal et faites le nécessaire pour régler la situation. Si besoin est, demandez de l'aide à une monitrice de la Ligue La Leche ou à une personne compétente ayant aidé des mères à allaiter avec succès. Non seulement vous parviendrez à résoudre le problème, mais par le fait même vous apprendrez à mieux connaître votre bébé et vous gagnerez de l'assurance en tant que mère.

❧ Les mamelons douloureux

Allaiter ne devrait pas faire mal, voilà pour la bonne nouvelle. Toutefois, plusieurs nouvelles mères ressentent une certaine douleur aux mamelons pendant les premiers jours alors qu'elles apprennent à perfectionner la mise au sein et que leur bébé apprend à téter. Si vos mamelons sont douloureux, vous voudrez bien sûr soulager la douleur mais aussi essayer d'en déterminer la cause afin de trouver une solution et cesser de redouter la prochaine tétée.

La douleur aux mamelons est bien souvent causée par le bébé qui ne prend que le mamelon dans sa bouche quand il tète. Le bébé devrait prendre le sein et non seulement le mamelon. Sa bouche doit couvrir le mamelon et au moins 2 cm de l'aréole, le cercle foncé qui entoure le mamelon. Sinon le mamelon, avec sa peau délicate et ses terminaisons nerveuses sensibles, se trouve placé dans la partie avant de la bouche du bébé, là où ses gencives et sa langue peuvent frotter sur le même point sensible à chaque mouvement de succion.

Si le bébé prend aussi une partie du sein, alors le mamelon sera placé au fond de sa bouche, là où il ne peut être blessé. Aussi, le bébé obtiendra du lait en plus grande quantité et plus facilement car ses gencives et sa langue comprimeront les sinus lactifères (les réservoirs où est emmagasiné le lait) situés juste sous l'aréole. Vous pouvez localiser les sinus lactifères en essayant d'extraire du lait à la main. Entourez votre sein de votre main en plaçant les doigts derrière le mamelon. Pressez le sein vers la cage thoracique tout en serrant les doigts sur l'aréole. Quand vous verrez du lait jaillir du mamelon, vous saurez que vous avez trouvé les sinus lactifères. Vous remarquerez qu'ils se trouvent à environ 2 cm derrière la zone douloureuse de votre mamelon. C'est à cet endroit que les gencives du bébé doivent être placées au moment des tétées.

Les mamelons plats ou invaginés

Les mamelons plats ou invaginés peuvent poser des difficultés additionnelles pour certains bébés. Ils ne parviendront pas à saisir le sein et à prendre suffisamment de tissu mammaire pour téter efficacement. Essayez de raffermir votre mamelon en le faisant rouler entre vos doigts avant d'offrir le sein au bébé. Le port de boucliers durant 20 à 30 minutes avant la tétée fera également saillir le mamelon. Si votre mamelon semble plat parce que votre sein est engorgé, extrayez délicatement un peu de lait à la main avant la tétée, juste assez pour assouplir le mamelon et l'aréole. On peut également faire saillir les mamelons plats ou invaginés à l'aide d'un tire-lait qu'on utilise pendant quelques minutes avant d'essayer de mettre le bébé au sein.

> Essayez de rester calme et patiente quand vous apprenez à votre bébé à téter.

Comment améliorer la prise du sein

Grincer des dents et supporter la douleur pendant les tétées n'est pas la solution aux problèmes de prise du sein. En effet, le bébé s'habitue à mal prendre le sein et les endroits douloureux de vos mamelons se changent rapidement en crevasses et ampoules douloureuses.

Pendant que vous travaillez à améliorer la façon dont votre bébé prend le sein, essayez de rester calme et patiente. Si le bébé ne réussit pas la première fois, retirez lui doucement le sein et continuez à lui apprendre à le saisir correctement. Si la frustration devient trop grande pour vous et votre bébé, arrêtez-vous, calmez-vous tous les deux et recommencez 15 à 20 minutes plus tard. La plupart des bébés comprennent en quelques jours.

Pour encourager le bébé à mieux saisir le sein, il faut revenir aux notions de base. Relisez la partie du chapitre trois traitant de la position du bébé au sein et de la prise du sein. Quand vous apprenez à votre bébé à prendre le sein correctement, surveillez attentivement les points suivants.

Assurez-vous que votre bébé et vous êtes bien soutenus en plaçant sur vos genoux et sous votre coude des oreillers que vous garderez durant toute la tétée. Il arrive parfois que la bouche du bébé glisse vers le mamelon au cours de la tétée parce que la mère relâche son étreinte. Il faut peut-être vous asseoir plus droite sans vous pencher vers l'arrière ni vers votre bébé. Rappelez-vous qu'on approche le bébé du sein plutôt que de lui mettre le mamelon dans la bouche comme on ferait avec un biberon.

Attendez que le bébé ouvre la bouche toute grande, comme s'il bâillait, avant de l'approcher du sein. Essayez d'anticiper le moment où il ouvrira la bouche toute grande pour le faire coïncider avec le moment où il prend le sein. Assurez-vous qu'il prend une bonne partie de l'aréole tant au-dessus du mamelon que dessous. Chez certains bébés, il faut beaucoup de patience pour leur faire ouvrir la bouche bien grande. Encouragez le bébé à ouvrir la bouche et à la maintenir ouverte, afin qu'il saisisse le sein et qu'il se mette à téter, en appuyant fermement sur son menton à l'aide de l'index de votre main qui soutient le sein.

Quand le bébé tète, son nez et son menton devraient toucher le sein. Si ce n'est pas le cas, c'est qu'il n'a pas suffisamment pris de tissu mammaire dans sa bouche. Retirez-le du sein et essayez à nouveau.

Les lèvres du bébé devraient être retroussées vers l'extérieur. Il arrive parfois qu'un bébé tète sa lèvre inférieure en même temps que le sein, ce qui peut occasionner de la douleur. Si c'est le cas, vous pouvez retourner doucement sa lèvre vers l'extérieur pendant qu'il tète, sans briser la succion. Vérifiez aussi si sa langue est placée sous le sein, là où elle devrait être, en lui abaissant légèrement la lèvre inférieure pendant la tétée. Vous, ou la personne qui vous aide, devriez voir sa langue appuyée sur sa gencive inférieure. Si vous ne la voyez pas, et que vos mamelons sont sensibles, essayez à nouveau de mettre votre bébé au sein en vous assurant que sa langue est placée sous le sein et qu'il ouvre la bouche très grand au moment de prendre le sein.

Le corps de votre bébé devrait être près de vous durant toute la tétée, son ventre contre le vôtre, que vous allaitiez assise ou couchée. Cette position l'aide à garder le sein et à téter correctement. Assurez-vous de tenir sa tête à la même hauteur que votre mamelon. Parfois, la position «ballon de football» ou la position transversale offrent un meilleur soutien aux bébés qui ont besoin qu'on maintienne leur tête.

Quand un bébé semble dérangé par la grosseur ou la forme du sein au début de la tétée, la technique du «sandwich» peut faciliter la prise du sein. Elle consiste simplement à soutenir le sein d'une manière différente pour l'offrir au bébé. Au lieu de tenir votre sein dans la coupe formée par votre main placée en forme de C, comprimez quelque peu votre sein entre votre pouce, placé sur le dessus, et vos doigts, en dessous. Le pouce et les doigts représentent le pain du sandwich; le sein et le mamelon, la garniture. Souvent, les bébés trouvent plus facile de saisir le sein dont la forme est ainsi comprimée.

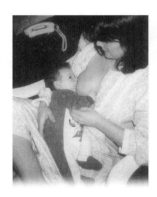

Téléphonez à une monitrice de la Ligue La Leche, elle vous fera des suggestions pour régler les problèmes de prise du sein.

Téléphonez à une monitrice de la Ligue La Leche pour obtenir des encouragements et d'autres suggestions afin de régler les problèmes de prise du sein. Peut-être pourrez-vous la rencontrer; elle pourra constater comment se comporte votre bébé au sein, et ensemble vous pourrez trouver une solution. Une consultante en allaitement ou un autre professionnel du domaine médical ayant aidé des mères à allaiter peuvent aussi vous donner des conseils.

Comment apaiser la douleur aux mamelons

Les seins sécrètent une excellente substance pour apaiser la douleur et guérir les mamelons douloureux ou gercés: le lait maternel. Extrayez un peu de lait après la tétée, étendez-le sur le mamelon et l'aréole, et laissez sécher à l'air. Les propriétés antibactériennes du lait aideront vos mamelons à guérir.

Garder les mamelons secs entre les tétées hâtera la guérison. Après les tétées, laissez les bonnets de votre soutien-gorge ouverts pour permettre à l'air d'atteindre vos mamelons. Essayez de ne pas porter de soutien-gorge sous un chandail de coton léger. Si vous ne pouvez supporter le frottement du tissu sur vos mamelons, des boucliers perforés portés dans votre soutien-gorge éloigneront le tissu de votre peau délicate tout en permettant à l'air de circuler. Évitez les soutiens-gorge et les compresses d'allaitement faits de fibres synthétiques ou doublés de matières plastiques.

La plupart des crèmes et des onguents vendus pour le traitement des mamelons douloureux doivent être essuyés avant les tétées car ils peuvent être nuisibles pour le bébé. De plus, ils risquent de causer des blessures et de l'irritation au lieu d'aider. L'application de lanoline hypoallergène sur les mamelons est inoffensive au cours de l'allaitement; elle est pure et ne contient aucun ingrédient qui pourrait faire du tort au bébé. Elle permet à la peau de conserver son hydratation, ce qui aide à guérir. Elle empêche aussi les crevasses et les ampoules de former des croûtes et garde à la peau sa souplesse et sa douceur. Pour l'utiliser, épongez vos mamelons après la tétée puis étendez-en une petite quantité sur le mamelon et l'aréole.

Allaitement et mamelons douloureux

Une meilleure position et une meilleure prise du sein mettent habituellement un terme aux mamelons douloureux. Cependant les tétées peuvent encore être désagréables pendant la guérison des mamelons crevassés ou des ampoules. Le moment le plus douloureux est souvent au début de la tétée quand le bébé tète mais que le lait ne coule pas abondamment. Les tétées seront plus agréables si vous commencez par le sein le moins douloureux et que vous changez de sein lorsque vous remarquez que le bébé avale plus souvent (signe que le réflexe d'éjection a eu lieu). Si vos deux mamelons sont très douloureux, essayez d'extraire un peu de lait à la main ou au tire-lait pour provoquer le réflexe d'éjection avant de mettre le bébé au sein. De profondes respirations et d'autres techniques de relaxation apprises au cours prénatal peuvent soulager l'inconfort pendant la tétée. Assurez-vous de briser la succion avant de retirer le sein au bébé. «Tirer» le sein hors de la bouche du bébé, même seulement une ou deux fois, peut rendre les mamelons sensibles pour longtemps.

Les bouts de sein ou téterelles, ces imitations de mamelon que vous placez sur vos mamelons pendant la tétée, ne sont pas très utiles dans les cas de mamelons douloureux ou de problèmes de prise du sein. En fait, ils enveniment habituellement les choses. Ils empêchent le bébé d'apprendre à saisir le sein et à téter correctement et ils entravent la stimulation des seins, ce qui risque de nuire à la production de lait et au réflexe d'éjection de la mère. L'utilisation de la téterelle peut être source de confusion entre tétine et mamelon autant que les tétines de biberon.

La douleur aux mamelons ne devrait pas durer des jours et des semaines. Rappelez-vous : l'allaitement ne devrait pas faire mal. Si l'état de vos mamelons ne s'améliore pas et que les tétées sont très désagréables, demandez de l'aide pour trouver ce qui ne va pas.

&. Les bébés de type dormeur, paresseux et lents au sein

Certains bébés apprennent plus lentement que d'autres à téter efficacement. Ils perdent du poids dans les premiers jours et le regagnent lentement. Ils ne mouillent pas six à huit couches de coton par jour (cinq à six couches jetables), n'ont pas de deux à cinq selles par jour et, par conséquent, ne semblent pas recevoir assez de lait. Parce qu'ils ne s'alimentent pas suffisamment, ils sont davantage sujets à la jaunisse. Les mères sont inquiètes et frustrées et ne savent pas quoi faire. Elles ne veulent pas donner de biberons mais l'allaitement ne semble pas fonctionner.

Il n'est pas nécessaire d'abandonner l'allaitement. On peut résoudre ce genre de problème et il ne faut souvent que quelques jours de soins attentifs. Il s'avère parfois difficile de trouver la force et l'énergie nécessaires pour allaiter pendant les hauts et les bas de la période postpartum. Mais si vous croyez que l'allaitement est avantageux pour vous et votre bébé, vous serez contente et fière d'avoir fait les efforts nécessaires quand, après quelques semaines, vous aurez un bébé allaité heureux.

Le bébé dormeur

Les nouveau-nés dorment souvent beaucoup dans les jours qui suivent la naissance et certains semblent plus intéressés à dormir

Les nouveaux-nés dorment souvent beaucoup dans les jours qui suivent la naissance.

qu'à téter. Ils ne s'éveillent pas souvent pour téter ou ils se rendorment après seulement quelques minutes ou quelques succions au sein. Ils urinent peu ou ont peu de selles et ils gagnent parfois lentement du poids, même lorsque la montée de lait a eu lieu chez la mère. Cet état somnolent peut être attribuable à un travail et à une naissance difficiles, à la médication utilisée pendant le travail ou à un autre problème comme la jaunisse ou la prématurité.

Ne restez pas assise à attendre que votre trésor se réveille pour téter. Rappelez-vous que la plupart des nouveau-nés tètent au moins 8 à 12 fois par 24 heures. S'il dort plus de deux à trois heures consécutives pendant le jour, réveillez-le. Ce sera plus facile s'il est dans une phase de sommeil léger, c'est-à-dire sommeil agité, mouvement des yeux perceptible sous les paupières, mouvements de succion. Parlez-lui et essayez d'établir un contact visuel. Tenez-le en position verticale ou relevez-lui doucement le dos et la tête pour l'asseoir sur vos genoux. Changez sa couche, frottez-lui le dos, essuyez son visage avec une serviette humide et fraîche, bref faites en sorte de le stimuler.

Pour éviter que le bébé ne s'endorme trop tôt pendant la tétée, changez de sein dès qu'il perd de l'intérêt. On appelle cette technique « tétées alternées ». Lorsque votre bébé n'avale plus après un ou deux mouvements de succion, enlevez-le du sein, assoyez-le, faites-lui faire un rot ou changez sa couche pour le réveiller. Puis offrez l'autre sein. Quand il ralentit à nouveau son rythme, enlevez-le du sein, réveillez-le et revenez au premier sein offert. Alternez ainsi durant 20 minutes environ avant de le laisser se rendormir profondément. Assurez-vous qu'il prend bien le sein, pas seulement le mamelon.

Le bébé paresseux au sein

Le bébé paresseux au sein semble téter tout le temps mais n'est jamais satisfait et pleure lorsque sa mère met fin à la tétée. En effet, son style paresseux ne stimule pas suffisamment l'écoulement du lait pendant la tétée et, ainsi, il n'obtient pas la portion plus riche en calories qui lui donnera la sensation de satiété. Il mouillera sans doute de nombreuses couches mais n'aura que peu de selles. La production de lait de la mère peut diminuer à cause de la succion inefficace et le bébé peut même perdre du poids. Le bébé paresseux au sein n'utilise que ses lèvres pour téter. Vous ne verrez pas bouger ses mâchoires ni ses oreilles quand il tète. Il peut téter ainsi presque continuellement et proteste lorsque vous l'enlevez du sein.

La technique des tétées alternées décrite ci-dessus aidera le bébé paresseux au sein à apprendre à mieux téter. Au début, vous devrez peut-être le changer de sein toutes les 30 à 60 secondes pour qu'il tète bien et qu'il avale régulièrement. Portez une attention particulière à la manière dont il prend le sein.

Les problèmes de succion

Certains bébés laissent facilement glisser le sein pendant la tétée. D'autres n'utilisent pas bien leur langue. D'autres encore inventent des trucs qu'ils essaient pendant la tétée. Ce genre de difficultés peut nécessiter l'aide particulière d'une personne expérimentée ayant aidé des mères dont les bébés avaient des problèmes de succion. Bien des monitrices de la Ligue La Leche ont vécu ce genre d'expérience mais si la monitrice de votre région ne peut vous donner l'aide dont vous avez besoin, elle vous dirigera vers quelqu'un qui pourra vous aider. De plus, elle continuera à vous soutenir et à vous encourager pendant que vous apprendrez à votre bébé à mieux téter.

Pour aider votre bébé à rester éveillé durant la tétée, ne lui faites porter qu'une couche.

L'extraction et les suppléments

Les bébés qui ne tètent pas bien vers le troisième ou le quatrième jour après la naissance peuvent avoir besoin de plus de lait que ce qu'ils peuvent prendre au sein. Les problèmes de succion peuvent également se traduire par une baisse de la production de lait chez la mère.

Pour résoudre ces deux problèmes il suffit d'extraire du lait après les tétées et de le donner au bébé. Cela permettra au corps de la mère de continuer à produire beaucoup de lait et le bébé aura droit à la meilleure alimentation possible.

Si vous pensez devoir extraire du lait pendant plus d'un jour ou deux, la location d'un tire-lait électrique vaut le coût. (Vos assurances pourraient même défrayer le coût de la location si votre médecin le prescrit.) Les tire-lait électriques en location sont très efficaces, faciles d'emploi et vous permettent d'extraire simultanément des deux seins ou encore d'extraire d'un côté pendant que votre bébé boit de l'autre. La plupart des tire-lait manuels fonctionnent très bien aussi, mais ils nécessitent plus d'efforts de votre part. Il vous faudra extraire durant 10 à 20 minutes après chaque tétée, soit aussi longtemps qu'il y a du lait qui coule. Pour plus de détails sur le choix d'un tire-lait, son utilisation et sur la conservation du lait, consultez la partie traitant de l'extraction à la fin du présent chapitre.

Le lait que vous extrayez après la tétée contient beaucoup de matières grasses et de calories, exactement ce qu'il faut à votre bébé pour commencer à grandir. Évitez de lui donner ce lait dans un biberon car les tétines aggravent habituellement les problèmes d'allaitement. Même les nouveau-nés et les prématurés peuvent boire du lait à la tasse. Utilisez un petit verre ou un godet à médicament ou, mieux encore, un petit récipient de plastique flexible qu'on peut plier ou serrer pour former un bec. Maintenez le bébé à la verticale sur vos genoux, une serviette ou une couche glissée sous son menton, et faites-lui boire une petite gorgée de lait à la fois. Vous pouvez aussi utiliser un compte-gouttes ou même une cuillère à thé pour donner les suppléments au bébé. Soyez patiente. Il faut du temps, mais cela fonctionne! Généralement, on donne les suppléments après que le bébé a tété. Par contre, si votre bébé semble très affamé et irritable, vous pouvez lui donner un peu de lait à la tasse avant la tétée. Ce lait le calmera et l'aidera à mieux téter. Faites vos propres expériences et voyez ce qui fonctionne bien selon les circonstances.

On peut aussi donner des suppléments au sein, pendant la tétée, à l'aide d'un dispositif d'aide à l'allaitement. Ce dispositif présente certains avantages, surtout quand les problèmes de succion prennent des semaines à se régler. Toutefois, l'apprentissage de son utilisation peut être compliquée. Dans le cas de problèmes à court terme, il ne vaut peut-être pas la peine de l'utiliser. Une monitrice de la Ligue La Leche peut vous aider à déterminer si son utilisation est indiquée dans votre cas.

Si votre production de lait est faible et que la quantité de lait que vous extrayez ne suffit pas à votre bébé, consultez votre médecin au sujet des autres laits de supplément à donner. Les laits artificiels peuvent aussi être donnés à la tasse plutôt qu'au biberon. Continuez à extraire du lait même si vous devez donner des suppléments durant quelque temps. Votre but est de maintenir et d'augmenter votre production de lait pour que le lait soit là et disponible quand la technique de succion de votre bébé se sera améliorée.

> Les suppléments de lait peuvent être donnés à la tasse, au compte-gouttes ou à la cuillère.

Extraire du lait et donner des suppléments après la tétée demandent beaucoup de temps. Il se peut que vous veniez de terminer une tétée, de mettre le lait extrait au réfrigérateur, de laver votre matériel et voilà que votre bébé demande à téter de nouveau. Durant quelques jours, vous ne ferez rien d'autre que d'allaiter votre bébé. C'est le moment de faire appel aux amis et aux membres de votre famille qui sont prêts à vous préparer des repas, à faire la lessive et à s'occuper de vos enfants plus âgés. Aménagez-vous un coin d'allaitement où vous aurez des couches propres, un pichet d'eau ou de jus, des oreillers, quelque chose à lire peut-être ou un téléviseur tout près.

❧ La confusion entre tétine et mamelon

Certains professionnels de la santé refusent de le croire, mais la confusion entre tétine et mamelon est bien réelle. Cela peut se produire peu de temps après que le bébé soit sorti de l'hôpital et bien avant son premier examen médical complet; alors ni les infirmières de la pouponnière ni les pédiatres ne peuvent le constater. C'est la mère qui doit s'occuper d'un bébé qui tétait bien jusque-là mais qui manifeste maintenant de la confusion et du désarroi au sein.

Téter au sein est différent de boire un liquide qui coule d'une tétine. Pour prendre le sein, le bébé doit ouvrir sa bouche toute grande alors que la tétine d'un biberon peut être insérée entre des lèvres à demi closes. Le bébé allaité comprime le sein de ses mâchoires et de sa langue pour extraire le lait alors que la tétine exige moins d'efforts de sa part. Les lèvres du bébé allaité forment un ourlet autour du sein alors qu'avec la tétine le bébé pince ses lèvres fermement. Le lait coule immédiatement du biberon – il n'est pas nécessaire d'attendre le réflexe d'éjection de la mère – et quand il coule trop vite, le bébé se sert de sa langue pour arrêter le débit. Ce mouvement de la langue, s'il est appliqué au sein, pousse le mamelon hors de la bouche du bébé.

Pour certains bébés, un ou deux biberons suffisent à modifier leur succion alors que pour d'autres la confusion entre tétine et mamelon peut ne survenir qu'après plusieurs jours de suppléments. Dans un cas comme dans l'autre, le premier geste à faire pour ramener le bébé à l'allaitement est d'éliminer toutes les tétines. Cela inclut, en plus des tétines des biberons, les sucettes et les téterelles, si vous en utilisiez. Si votre bébé prenait beaucoup de lait artificiel en supplément et que votre production de lait est faible, continuez à donner les suppléments à la tasse, dans un bol, au compte-gouttes ou à la cuillère à thé. Vous pouvez aussi extraire votre lait après la tétée et le lui donner comme supplément. Vous pourrez éliminer les suppléments graduellement au fur et à mesure que votre bébé commencera à mieux téter et que sa succion stimulera votre production de lait. Comptez le nombre de couches mouillées et souilllées afin d'être certaine qu'il boit suffisamment.

Apprendre à un bébé confus à bien téter au sein requiert une bonne dose de patience et de persévérance. Vous devrez faire équipe avec lui au fur et à mesure qu'il redécouvrira comment téter au sein. Ayez de fréquents contacts peau à peau et donnez-lui l'occasion de pratiquer très souvent. N'attendez pas que votre bébé soit affamé avant de lui offrir le sein. En effet, ce sera difficile pour lui d'apprendre quelque chose de nouveau quand il est déjà préoccupé par une idée précise : se remplir l'estomac. Prenez-le quand il vient juste de se réveiller ou qu'il est calme. Extrayez quelques gouttes de lait que vous laisserez sur votre mamelon, cela l'incitera peut-être à téter. Encouragez-le à ouvrir grand la bouche en disant « grand » et en lui montrant comment faire. Même les nouveau-nés imitent les expressions faciales. Faites bien attention à la position au sein et à la façon dont il le saisit. En stimulant votre réflexe d'éjection avant de mettre votre bébé au sein, ses premiers mouvements de succion seront récompensés. Votre réflexe peut être stimulé en extrayant un peu de lait, en frottant doucement vos mamelons dans un mouvement circulaire, en prenant une douche chaude ou simplement en regardant votre bébé et en respirant sa bonne odeur.

❧ Le réflexe d'éjection très fort

L'allaitement diffère de l'alimentation au biberon.

Parfois le lait coule tellement rapidement au moment du réflexe d'éjection que le bébé au sein ne parvient pas à tout avaler. Il peut alors s'éloigner du mamelon ou hoqueter, crachoter et avaler de l'air. Il peut même s'agiter dès qu'on le met au sein parce qu'il a appris à anticiper les difficultés.

Lorsque cela se produit, enlevez-le du sein environ une minute. Le débit du lait ralentira et bientôt il pourra se remettre à téter plus facilement. Vous pouvez aussi placer votre bébé de façon qu'il tète de plus haut. Placez deux ou trois oreillers sur vos genoux pour élever la tête de votre bébé de sorte qu'il soit plus haut que le sein quand il tète. La position à demi couchée dans un fauteuil est aussi efficace.

Un réflexe d'éjection très fort peut être causé par une surabondance de lait. Si un problème de ce genre persiste au-delà des premières semaines, essayez de limiter votre bébé à un sein par tétée, au moins le matin et en début d'après-midi quand vos seins sont davantage pleins. Si votre bébé veut téter à nouveau à l'intérieur d'une période de deux heures, offrez-lui le sein donné à la dernière tétée. Par exemple, donnez le sein gauche aux tétées entre 8 h et 10 h, le sein droit entre 10 h et 12 h, à nouveau le sein gauche entre 12 h et 14 h, et ainsi de suite. Cela permettra à votre sécrétion lactée de s'ajuster aux besoins de votre bébé. Assurez-vous de compter le nombre de couches mouillées et souillées pour être certaine qu'il boit suffisamment de lait.

❧ L'écoulement de lait

L'écoulement de lait est gênant, mais heureusement, pour la plupart des femmes, c'est un problème de courte durée, limité aux premières semaines d'allaitement. Chez certaines femmes, du lait coule d'un sein pendant que le bébé boit à l'autre. D'autres ont des écoulements de lait lorsque leurs seins sont engorgés entre les tétées, que leur bébé pleure ou quand un quelconque stimulus provoque ce réflexe.

Vous pouvez arrêter l'écoulement en exerçant une légère pression sur les mamelons. Pour le faire discrètement, croisez les bras sur votre poitrine et appuyez. Toutefois, l'écoulement de lait est le signe qu'il est temps d'allaiter votre bébé, et c'est ce que vous devriez faire, si cela est possible.

Des compresses d'allaitement placées dans votre soutien-gorge absorberont le lait. Vous pouvez aussi vous procurer des compresses de tissu que vous pourrez laver et réutiliser ou vous pouvez en faire avec des mouchoirs pliés ou des couches de tissu. Des compresses jetables doublées de plastique protègeront vos vêtements. Cependant, elles empêchent la circulation d'air, ce qui peut occasionner de la douleur aux mamelons, alors ne les utilisez pas en permanence. Portez des vêtements imprimés qui masqueront les cernes ou encore apportez avec vous un veston ou un chandail. S'il y a écoulement pendant la tétée, une couche de tissu placée sous le sein absorbera le lait.

❧ La jaunisse du nouveau-né

La jaunisse est fréquente chez les nouveau-nés mais elle est rarement, sinon jamais, une raison pour cesser l'allaitement, même pour une période de 24 heures.

La jaunisse du nouveau-né est le résultat de la destruction rapide des globules rouges pendant les premiers jours de vie du bébé. En effet, le bébé a besoin d'une moins grande quantité de globules rouges après la naissance comparativement à ce dont il avait besoin dans l'utérus de sa mère. À mesure que les globules rouges excédentaires sont détruits, un sous-produit, appelé «bilirubine», est libéré dans le sang et sera éventuellement éliminé avec les selles du bébé. La jaunisse survient lorsque la bilirubine est libérée plus rapidement que le bébé ne peut l'éliminer. La bilirubine est une pigmentation jaune et son accumulation donne à la peau une teinte jaunâtre caractéristique. Le blanc de l'œil peut aussi être teinté de jaune.

Pourquoi le taux de bilirubine est-il plus élevé chez certains bébés? La jaunisse est parfois attribuable à un mauvais fonctionnement du système sanguin ou du foie, ou à une infection. Très souvent, la jaunisse n'est qu'un simple ajustement du corps du bébé à la vie extra-utérine. Ce type de jaunisse est appelé «jaunisse physiologique» parce qu'elle fait partie du processus normal du corps. Les médecins ne s'entendent pas quant à savoir s'il faut traiter – et quand il faut la traiter – la jaunisse normale du nouveau-né. Rien ne prouve de façon absolue que des taux maximum de bilirubine se situant au-dessous de 20 mg/dl à 25 mg/dl soient dommageables pour un bébé normal, né à terme et en bonne santé.

De bonnes habitudes d'allaitement aident à prévenir la jaunisse.

Pour faire baisser le taux de bilirubine, le bébé est placé sous des lampes spéciales, un traitement qu'on appelle «photothérapie». Ces lampes aident à décomposer la bilirubine pour qu'elle soit éliminée plus rapidement. Dans des cas extrêmes, des transfusions sanguines peuvent être données pour faire baisser le taux de bilirubine.

Le problème de la photothérapie, c'est que le bébé ne peut être dans les bras de sa mère quand il est sous les lampes. La plupart du temps, il est dans une isolette à la pouponnière, les yeux cachés pour les protéger de la lumière. Dans ces circonstances, il est difficile de surveiller ses signaux et d'allaiter fréquemment même si des tétées fréquentes sont importantes pendant la photothérapie puisque les lampes peuvent entraîner une déshydratation. De nouvelles options en matière de photothérapie permettent d'avoir les lampes dans votre chambre d'hôpital ou à la maison. Il existe également un appareil appelé «dispositif de photothérapie Wallaby» constitué d'une pellicule de fibre optique qui se fixe autour du tronc du bébé, éliminant le recours au bandeau sur les yeux et permettant de prendre le bébé et de l'allaiter tout en poursuivant le traitement. Ces améliorations sont plus commodes pour les mères qui allaitent, mais la photothérapie demeure encore compliquée et inquiète les parents. Un médecin averti tiendra compte de ces faits lorsqu'il conseillera aux parents un traitement contre la jaunisse.

Éviter les problèmes liés à la jaunisse

Quand on rêve à notre nouveau-né, on ne pense pas à la jaunisse, ni au taux de bilirubine, ni à la photothérapie. On ne peut pas prendre et allaiter un bébé placé sous les lampes de photothérapie. La mère qui allaite pourra alors difficilement avoir confiance en l'allaitement si une infirmière ou un médecin insinue que son bébé a besoin d'eau ou de suppléments de lait artificiel pour faire baisser le taux de bilirubine.

Heureusement, de bonnes habitudes d'allaitement aident à prévenir la jaunisse. Bien que des études aient démontré qu'il y a une plus grande incidence de jaunisse parmi les bébés allaités, de nombreux experts attribuent ce fait aux pratiques hospitalières qui ne facilitent pas l'allaitement fréquent des bébés. Le colostrum, bien que faible en quantité, a un effet laxatif. Des tétées fréquentes dès la naissance stimulent l'expulsion de nombreuses selles, ce qui permet d'éliminer plus rapidement la bilirubine.

Les suppléments d'eau n'aident pas à « laver » la jaunisse. En fait, ils peuvent l'aggraver. L'eau satisfait la soif du bébé et il sera moins intéressé à téter au sein. De plus, les suppléments sont généralement donnés au biberon, ce qui peut entraîner des problèmes de succion. Par ailleurs, l'eau ne favorise pas l'évacuation des selles et c'est cela qui élimine la bilirubine. Si le taux de bilirubine de votre bébé ne cesse d'augmenter, encouragez-le à téter autant que possible. Ce sera beaucoup plus facile si le bébé partage votre chambre et qu'il peut y dormir la nuit. Un bébé qui ne tète pas bien dans les premiers jours sera davantage sujet à avoir la jaunisse. S'il le faut, réveillez-le pendant la journée afin qu'il puisse téter toutes les deux heures au moins. Assurez-vous qu'il est bien placé au sein et qu'il tète activement de cinq à dix minutes à chaque sein. Si vous avez besoin d'aide, téléphonez à une monitrice de la Ligue La Leche ou demandez à voir la consultante en allaitement de l'hôpital. Il suffit souvent de consacrer un jour environ à l'allaitement pour constater un revirement de situation et une diminution du taux de bilirubine.

La lumière indirecte du soleil peut aussi aider à faire baisser le taux de bilirubine. Déshabillez votre bébé en ne lui laissant que sa couche et placez-le dans une pièce chaude très ensoleillée. Ne le placez pas directement dans la lumière du soleil entrant par la fenêtre, ni à l'extérieur directement sous les rayons car la peau d'un nouveau-né brûle facilement.

Si le médecin veut commencer la photothérapie, demandez-lui s'il existe d'autres options. Peut-on retarder le début du traitement de 12 à 24 heures, période pendant laquelle vous allaiterez plus souvent? D'ici là, le résultat du test sanguin confirmera peut-être que le taux a baissé ou au moins qu'il a cessé d'augmenter rapidement. Si la photothérapie est essentielle, demandez s'il est possible d'avoir les lampes dans votre chambre d'hôpital ou chez vous, si vous devez quitter l'hôpital sous peu. Si le bébé doit rester à la pouponnière, demandez la permission de demeurer près de lui afin de pouvoir le sortir de l'isolette et l'allaiter dès qu'il se réveille ou qu'il s'agite. Il n'est pas nécessaire que la photothérapie soit continue pour être efficace. Si votre bébé ne tète pas bien, vous devrez continuer à lui apprendre à mieux téter même pendant la photothérapie. Si on juge nécessaire de donner des suppléments d'eau, demandez qu'ils soient donnés à la tasse, au compte-gouttes ou à la seringue plutôt qu'au biberon.

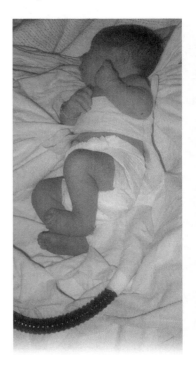

Les bébés traités par photothérapie ont besoin de téter fréquemment.

Certains médecins conseillent aux mères de cesser l'allaitement un jour ou deux afin de faire baisser le taux de bilirubine. Ce n'est pas vraiment utile dans les cas de jaunisse physiologique. Des tétées plus fréquentes constituent un meilleur choix.

Par contre, il existe une jaunisse au lait maternel, appelée «jaunisse tardive», attribuable à un facteur contenu dans le lait maternel qui ralentit l'élimination de la bilirubine chez le bébé. Ce type de jaunisse est beaucoup moins fréquent que la jaunisse physiologique. Le taux de bilirubine atteint son maximum vers la quatrième ou la cinquième journée après la naissance alors que dans le cas de la jaunisse physiologique, le taux atteint son maximum au cours de la deuxième ou la troisième journée. Généralement, l'allaitement peut se poursuivre sans interruption bien qu'il puisse falloir quelques semaines avant que la jaunisse ne disparaisse. Parfois, lorsque le taux de bilirubine est très élevé, le bébé atteint de jaunisse tardive sera sevré temporairement et il recevra du lait artificiel (ou du lait d'une banque de lait, si cela est possible) pour une période de 24 heures. Le taux de bilirubine chutera rapidement pendant ce temps et la mère pourra recommencer à allaiter. Ce ne devrait être fait que dans le cas de jaunisse tardive et seulement si le taux de bilirubine est très élevé et ne cesse d'augmenter. L'utilisation d'un appareil de photothérapie à la maison peut constituer une autre alternative au sevrage.

La jaunisse peut susciter de nombreuses inquiétudes chez les nouveaux parents, aussi bien les traitements que la jaunisse elle-même. Il vous faudra demeurer en contact avec le médecin qui traite votre bébé, écouter ses recommandations et lui demander s'il y a d'autres solutions possibles. Si vous éprouvez des difficultés à communiquer avec les médecins, répétez à l'avance ce que vous allez dire, écrivez vos questions et les points que vous voulez faire valoir. Si cela est nécessaire, demandez une deuxième opinion à un médecin qui est davantage en faveur de l'allaitement. Rappelez-vous que, la plupart du temps, la jaunisse est sans danger pour un bébé né à terme et en bonne santé, et qu'elle ne devrait pas faire obstacle à un bon départ en ce qui concerne l'allaitement.

▪ La maladie chez la mère ou le bébé

Les mères qui allaitent et leurs bébés attrapent le rhume et la grippe comme tout le monde. Vous pouvez et devriez poursuivre l'allaitement de votre bébé si vous êtes malade. Avant même que vous ne ressentiez les premiers symptômes, votre bébé a déjà été exposé aux germes, alors ce n'est pas l'allaitement qui aggravera les choses. En réalité, les anticorps fabriqués par votre corps pour combattre les germes seront aussi présents dans votre lait et permettront à votre bébé de se défendre contre le microbe. Il est fréquent de constater que,

lorsque les membres de la famille se passent le rhume ou la grippe,
le bébé allaité n'est que légèrement atteint ou n'est pas malade du tout.

Parfois, le premier signe qui indique à la mère que son bébé est
malade est un changement dans l'horaire habituel. Un nez congestionné
rend l'allaitement plus difficile. Être couché sur le côté pour téter
peut être douloureux pour un bébé qui a une otite. Le comportement
de votre bébé au sein vous indique largement comment il se sent.
Continuer de l'allaiter l'aidera à mieux se sentir.

Les bébés qui ont mal au ventre demanderont à téter très souvent, sinon continuellement. C'est bien de les laisser faire. De petites
tétées fréquentes préviennent la déshydratation et les facteurs immunitaires du lait maternel aideront à combattre le virus qui cause le problème. Il n'est pas nécessaire de cesser d'allaiter, même pour un jour
ou deux, si votre bébé a mal au ventre ou s'il fait de la diarrhée. Des
études ont démontré que les bébés allaités ayant la diarrhée se remettent plus rapidement et perdent moins de poids s'ils peuvent continuer
à téter. Ils toléreront le lait maternel beaucoup plus rapidement que
toute autre substance qui leur est présentée.

Un bébé souffrant de vomissements supportera sans doute mieux
une petite quantité de lait à la fois, des plus grandes quantités pouvant
être vomies aussitôt. Dans ce cas, essayez d'allaiter le bébé à un sein
relativement vide. Extrayez votre lait manuellement ou avec un tire-
lait durant plusieurs minutes avant d'allaiter votre bébé. Un écoulement plus lent sera mieux toléré par son estomac et il pourra téter
pour se réconforter sans avoir peur de vomir à nouveau.

❧ Les canaux obstrués et les mastites

Les masses sensibles et douloureuses dans les seins sont généralement des obstructions de canaux. Une zone rouge, chaude, enflée
et douloureuse au toucher peut être une mastite, surtout si elle est
accompagnée de fièvre, de douleurs et d'une sensation de fatigue
comme lorsqu'on a la grippe. Un traitement rapide empêchera le canal
obstrué d'évoluer en mastite, et la mastite, en abcès. Pour permettre au
lait de couler à nouveau dans la région affectée il faut trois choses : de
la chaleur, des massages légers et des tétées fréquentes.

On peut appliquer de la chaleur en prenant une douche chaude, en immergeant le sein dans un récipient d'eau chaude ou en appliquant des compresses chaudes et humides, une bouillotte ou un coussin chauffant. Pendant que le sein est

Alitez-vous et reposez vous si vous avez une mastite.

encore chaud, faites de légers massages avec vos doigts et la paume de votre main. Faites d'abord des mouvements circulaires puis, en partant loin derrière la zone douloureuse, massez délicatement vers le mamelon. Mettez alors le bébé au sein ou bien extrayez un peu de lait manuellement ou à l'aide d'un tire-lait. Vous pourrez continuer à masser le sein au-dessus de la zone douloureuse pendant que le bébé tète pour permettre au bouchon de se détacher et faciliter l'écoulement du lait.

Pour éviter que les seins ne deviennent trop pleins, allaitez votre bébé aussi souvent qu'il le veut bien, au moins toutes les deux heures. Faites le traitement chaleur-massage avant les tétées, autant que possible, et commencez par le côté douloureux. Couchez le bébé avec vous pour faire une sieste de quelques heures ou bien relaxez avec votre bébé dans les bras, les pieds surélevés.

La mastite change parfois légèrement le goût du lait. Si votre bébé ne coopère pas et qu'il ne veut pas téter au sein infecté, offrez-lui d'abord l'autre sein. Quand votre réflexe d'éjection sera passé, glissez votre bébé au sein infecté sans le changer de position. Vous parviendrez peut-être à le déjouer et à le faire boire au sein qu'il refusait de prendre.

Il est très important de poursuivre l'allaitement quand vous avez un canal obstrué ou une mastite. En gardant le sein souple et en permettant au lait de s'écouler, vous préviendrez la formation d'un abcès, qui pourrait nécessiter une intervention chirurgicale afin de le drainer. Ni le tire-lait ni l'extraction manuelle ne peuvent rivaliser avec votre bébé quand il s'agit d'extraire le lait du sein. Même si vous aviez prévu sevrer votre bébé sous peu, continuez à allaiter fréquemment au cours de cette période et remettez le sevrage à une date ultérieure, quand vous serez rétablie de votre mastite. Ne vous inquiétez pas, la mastite ne rendra pas votre bébé malade puisque les anticorps dans votre lait le protègeront.

Si vous faites de la fièvre, que vous vous sentez courbaturée, fatiguée, triste, alitez-vous et reposez-vous. Si la fièvre persiste plus de vingt-quatre heures, contactez votre médecin. Il vous prescrira peut-être un antibiotique sans risque pour la mère qui allaite et son bébé. Respectez la durée du traitement prescrit par le médecin. En effet, même si vous vous sentez mieux, vous devez prendre tous les antibiotiques pour éliminer l'infection.

Réfléchissez à ce qui a pu causer l'obstruction du canal ou la mastite, vous pourrez ainsi éviter une rechute. Un soutien-gorge trop serré ou à armature mal ajustée risque d'obstruer un canal. Il en est de même de la pression exercée sur le sein pendant la tétée ou lorsque vous dormez sur le ventre. L'engorgement peut entraîner l'obstruction d'un canal ou une mastite ; il peut être causé par le fait de sauter des tétées, par un intervalle plus long entre des tétées ou encore par un bébé qui, subitement, se met à dormir toute la nuit. Une mauvaise prise du sein peut aussi être la cause d'une mastite puisqu'un bébé qui ne prend pas bien le sein ne peut pas extraire le lait de façon aussi efficace.

Pour soigner une mastite il faut du repos, de la chaleur, de légers massages et des tétées fréquentes.

La mastite indique souvent que la mère est trop occupée ou qu'elle subit beaucoup de stress. Dans sa précipitation à tout faire, elle retarde sans doute des tétées ou elle y met fin rapidement, ce qui se traduit par un engorgement, puis un canal obstrué et, finalement, une mastite. Si elle ne se repose pas suffisament, ne prend pas le temps de bien se nourrir ou si elle est carrément épuisée, son corps parviendra moins bien à combattre la maladie. La mastite lui indique qu'elle doit ralentir son rythme et prendre mieux soin d'elle.

❧ Le muguet

Le muguet est une infection à champignons localisée dans la bouche du bébé. Il se manifeste par des taches blanches à l'intérieur des lèvres, des joues, sur la langue ou les gencives. Une infection légère gêne rarement le bébé mais elle peut s'étendre aux mamelons de la mère et occasionner des démangeaisons et de l'irritation et parfois une sensation de brûlure. Lorsque les mamelons deviennent douloureux après plusieurs semaines ou mois d'allaitement sans problème, on peut alors soupçonner la présence de muguet.

Les champignons se développent dans des endroits sombres, chauds et humides comme la bouche. Généralement, il y a de « bonnes » bactéries dans les environs qui empêchent les champignons de se multiplier, mais ces derniers prolifèrent parfois, particulièrement si la personne prend des antibiotiques. En effet, les antibiotiques peuvent tuer les bonnes bactéries en même temps que celles qui sont nuisibles, ce qui permet au muguet de proliférer.

Le mamelon et la partie de l'aréole que le bébé prend dans sa bouche peuvent devenir d'un rose brillant à cause du muguet. La peau peut être squameuse et sèche. Vous pouvez avoir du muguet sur les mamelons même si vous ne voyez rien dans la bouche de votre bébé. Un érythème fessier rouge chez le bébé ou une infection vaginale chez la mère sont parfois attribuables aux champignons.

Votre médecin peut prescrire des médicaments qui élimineront le muguet, c'est-à-dire un liquide à appliquer dans la bouche de votre bébé et une crème pour vos mamelons. L'érythème fessier et les infections vaginales à champignons devraient être traités en même temps. Il peut aussi s'avérer utile de laver vos mamelons à l'eau claire après les tétées.

Pendant la période où vous avez du muguet sur les mamelons, tout le lait extrait devrait être utilisé immédiatement ou jeté. En effet, la congélation ne tue pas les champignons, et en donnant de ce lait plus tard à votre bébé, vous pourriez vous infecter tous les deux à nouveau.

❧ Techniques d'extraction et mode de congélation du lait

L'extraction du lait, que ce soit manuellement ou à l'aide d'un tire-lait, ne ressemble en rien à l'allaitement d'un bébé et il faut de la pratique pour en maîtriser la technique. Si vous ne parvenez à extraire qu'une cuillerée à thé de lait la première fois, ne sautez pas à la conclusion que vous ne produisez pas assez de lait pour votre bébé.Le tire-lait ne peut rivaliser avec votre bébé quand il s'agit d'extraire le lait du sein. Avec de la pratique, vous vous améliorerez.

L'équipement

Les tire-lait ne sont pas attrayants et ce n'est pas particulièrement plaisant de courir les magasins pour en acheter un. Votre pharmacie du coin ou le magasin à grande surface de votre région n'en ont peut-être que deux ou trois modèles; le choix est donc réduit. D'autres types de tire-lait sont disponibles par la poste, auprès de représentants de compagnies ou de votre groupe de la Ligue La Leche. Le choix d'un tire-lait dépend de la fréquence à laquelle vous l'utiliserez, de votre budget et de vos préférences.

Il existe plusieurs modèles de tire-lait manuels très efficaces. Certains peuvent s'adapter à un tire-lait électrique entièrement automatique. Pour faire fonctionner la plupart des tire-lait, vous devez vous servir de vos deux mains, ce qui risque de devenir lassant pour la main ou le bras. Évitez le modèle peu coûteux de type klaxon de bicyclette, il ne fonctionne pas bien et la poire de caoutchouc peut retenir des bactéries.

Les tire-lait électriques ou fonctionnant à pile coûtent plus chers, mais ils ont la préférence des femmes qui doivent extraire régulièrement du lait parce qu'elles sont retournées au travail. Leur fonctionnement ne nécessite qu'une main, vous pouvez donc lire un magazine ou prendre votre repas. Les tire-lait électriques entièrement automatiques sont très chers mais il est possible de les louer à un coût raisonnable pour quelques mois. C'est un choix à considérer si vous devez extraire durant un certain temps ou s'il vous faut maintenir votre production de lait pour un bébé qui ne prend pas encore le sein.

Il en coûte moins cher de louer un tire-lait que d'acheter du lait artificiel. On peut aussi acheter un petit tire-lait électrique ou encore un tire-lait à pile . Ces derniers sont moins efficaces que les tire-lait électriques de haute qualité, mais de nombreuses mères en sont satisfaites. Les piles doivent être changées fréquemment ; par contre, plusieurs de ces tire-lait s'utilisent aussi avec un adaptateur CA.

L'extraction du lait, manuellement ou à l'aide d'un tire-lait, est une technique qui requiert de la pratique.

Si vous extrayez du lait pour votre bébé en bonne santé, vous devrez stériliser le tire-lait une seule fois, soit avant de l'utiliser la première fois. Suivez les directives du fabricant pour le nettoyage et lavez le tire-lait à l'eau chaude savonneuse après chaque utilisation. Bien des tire-lait vont au lave-vaisselle.

Les mères qui allaitent n'ont pas toutes besoin d'un tire-lait. Certaines découvrent que l'extraction manuelle leur convient parfaitement ; c'est peu coûteux et pratique, surtout pour les femmes qui n'ont pas besoin d'extraire leur lait très souvent. Vous aurez besoin d'un contenant pour emmagasiner le lait. De nombreuses mères se servent des sacs de plastique conçus pour les biberons. Il est plus prudent de doubler ce genre de sac car ils se déchirent facilement. Placez le sac sur le biberon pour le tenir droit pendant que vous y versez votre lait. La Ligue La Leche vend des sacs de plastique beaucoup plus résistants conçus pour la conservation du lait maternel.

Si le lait doit être congelé, on peut aussi utiliser un contenant de plastique rigide ou en verre.

L'extraction manuelle

L'extraction manuelle exige une bonne technique, mais il est facile de l'apprendre. Rappelez-vous que les réservoirs de lait sont situés sous l'aréole, derrière le mamelon. C'est là que vous devez exercer une légère pression pour faire couler le lait.

Lavez-vous les mains avant d'extraire votre lait. Placez votre pouce sur le sein et vos doigts en-dessous à environ 3 à 4 cm derrière le mamelon. Ne soutenez pas votre sein de votre main, il faut plutôt que votre pouce soit placé à l'opposé de vos doigts et que le mamelon soit entre eux. Poussez vers la cage thoracique puis faites rouler votre pouce et vos doigts vers le mamelon comme si vous vouliez prendre vos empreintes digitales. Des mouvements rythmés permettront aux réservoirs de se vider. Faites pivoter votre main autour du sein et utilisez aussi l'autre main pour vider tous les réservoirs. Quand le débit de lait ralentit d'un côté, passez à l'autre sein puis revenez au premier, et ainsi de suite. Vous devriez extraire votre lait de deux à trois fois à chaque sein. Utilisez une tasse ou un verre ayant une large ouverture pour recueillir le lait.

Évitez de pincer ou de tirer le sein car les tissus à cet endroit sont fragiles et se meurtrissent facilement. Assurez-vous de ne pas faire glisser vos doigts sur la peau quand vous les faites rouler vers le mamelon car cela peut causer des brûlures.

> La répétition des mêmes gestes avant la période d'extraction vous aidera à stimuler votre réflexe d'éjection.

Suggestions pour l'utilisation d'un tire-lait

Lavez-vous les mains avant d'extraire et ayez sous la main tout le matériel nécessaire. Pour obtenir une meilleure adhérence de la coupole du tire-lait à votre sein, mouillez d'abord votre peau. Commencez l'extraction au réglage le plus faible, ce ne doit pas être douloureux. Allez-y avec rythme comme le ferait un bébé au sein. Continuez jusqu'à ce que le débit du lait diminue puis passez à l'autre sein. Revenez au premier sein et continuez ainsi jusqu'à ce que vous ayez extrait du lait de deux à trois fois à chaque sein. Cela devrait prendre environ de 15 à 20 minutes.

Que faire si vous n'obtenez pas beaucoup de lait? La clé du succès de l'extraction, qu'elle soit faite manuellement ou avec un tire-lait, est de provoquer le réflexe d'éjection. Un endroit réservé à l'extraction et la répétition des mêmes gestes avant la période d'extraction vous aideront à stimuler votre réflexe. Avant de commencer, prenez un moment pour vous installer confortablement et pour vous détendre. Fermez les yeux, respirez lentement et profondément et pensez à quelque chose d'agréable comme un torrent ou une plage ensoleillée. Imaginez votre bébé à votre sein et la douceur de sa peau. Si vous voulez, vous pouvez faire rouler doucement vos mamelons entre vos doigts ou les caresser pour stimuler le réflexe d'éjection.

Une autre façon de relaxer avant l'extraction consiste à se masser les seins. En partant près de l'aisselle, faites des cercles avec vos doigts en pressant fermement sur votre cage thoracique. Après quelques secondes, déplacez légèrement vos doigts et répétez les mouvements circulaires sur une autre zone du sein. Continuez ainsi en faisant le tour de votre sein tout en vous rapprochant graduellement du mamelon. Puis caressez doucement votre sein en partant du haut et en allant vers le mamelon. Penchez-vous ensuite vers l'avant et secouez les seins pour que la gravité fasse couler le lait. Vous pouvez reprendre cette technique au milieu de votre période d'extraction pour faire augmenter le débit du lait et pour stimuler à nouveau le réflexe d'éjection.

Le massage des seins vous permettra de relaxer avant d'extraire votre lait.

À quelle fréquence faut-il extraire ?

Si vous êtes séparée de votre bébé, il vous faudra extraire votre lait presque aussi souvent que s'il tétait, soit à un intervalle de deux à trois heures. Si vous extrayez du lait pour offrir un biberon à l'occasion, essayez de le faire tôt le matin lorsque votre bébé n'a pas bu depuis une heure ou deux. La plupart des femmes ont plus de lait tôt dans la journée que vers la fin de l'après-midi ou en soirée. Une autre méthode consiste à extraire de petites quantités de lait plusieurs fois au cours de la journée, à les réfrigérer et à les verser dans un même contenant. Si votre bébé est avec vous, essayez de l'allaiter d'un côté et d'extraire de l'autre, manuellement ou avec un tire-lait. La succion de votre bébé provoquera le réflexe d'éjection et vous permettra d'extraire davantage de lait.

La conservation du lait maternel

Les facteurs antibactériens contenus dans votre lait aident à prévenir la contamination par bactéries pendant la période d'entreposage. Des études récentes ont démontré qu'il est possible de conserver du lait maternel au réfrigérateur, et même à la température de la pièce, plus longtemps encore qu'on le croyait auparavant. Voici quelques directives d'ordre général.

Le lait maternel peut être conservé sans danger :

- à la température de la pièce, durant 6 à 10 heures après l'extraction ;

- au réfrigérateur, jusqu'à huit jours ;

- dans un congélateur à l'intérieur même du réfrigérateur, durant deux semaines ;

- dans un congélateur ayant une porte indépendante de celle du réfrigérateur, de trois à quatre mois ;

- dans un congélateur horizontal dont la température se situe à -20° C, pendant six mois ou plus.

Le lait décongelé peut être conservé au réfrigérateur jusqu'à 24 heures après la décongélation, mais il ne doit pas être congelé à nouveau.

Congelez le lait dans des contenants préalablement lavés à l'eau chaude savonneuse. Laissez un espace d'environ 2 cm dans votre contenant car le lait prend de l'expansion en gelant. Si vous voulez ajouter du lait fraîchement extrait à du lait déjà congelé, faites-le d'abord refroidir au réfrigérateur ; n'ajoutez pas plus de lait froid qu'il y a de lait congelé. Si vous utilisez des sacs de plastique pour la congélation du lait, placez-les debout dans un contenant de plastique rigide muni d'un couvercle plutôt que directement au réfrigérateur ou au congélateur car ils pourraient se déchirer facilement.

Le lait maternel doit être décongelé sous l'eau courante, froide d'abord en augmentant graduellement la chaleur jusqu'à ce que le lait soit suffisamment chaud pour être donné au bébé. Agitez le contenant avant de vérifier la température du lait. On peut également décongeler le lait maternel en plaçant le contenant dans une casserole d'eau préalablement chauffée sur la cuisinière. Le lait maternel ne devrait pas être chauffé directement sur la cuisinière ni au four à micro-ondes. En effet, une chaleur trop intense peut détruire une bonne partie des nombreux facteurs immunologiques présents dans le lait. La chaleur inégale des micro-ondes crée des « points chauds » qui peuvent brûler le bébé.

Au cours de l'entreposage du lait maternel, le gras (la crème) se dépose à la surface donnant une apparence claire ou bleutée au lait. C'est tout à fait normal. Le lait de vache se sépare ainsi avant d'être homogénéisé. En agitant doucement le lait avant son utilisation, la crème se répartira.

❧ Les situations particulières

Il existe très peu de situations d'ordre médical qui empêchent l'allaitement d'un bébé. Les avantages de l'allaitement pour la santé sont encore plus importants quand la mère et le bébé doivent faire face à un défi particulier. On devrait accéder, dans la mesure du possible, au désir d'allaiter de la mère parce que l'allaitement constitue son principal moyen d'apprendre à connaître son bébé et de s'attacher à lui. L'allaitement est important, que ce soit dans le cas de naissances multiples, pour les bébés prématurés, pour les bébés présentant des problèmes de santé et pour les mères malades ou ayant un handicap. Le présent livre ne traite pas des situations d'allaitement inhabituelles, mais si vous désirez plus d'information, consultez une monitrice de la Ligue La Leche. Elle peut vous aider à trouver l'information nécessaire et vous encourager pendant que vous faites l'apprentissage de l'allaitement avec votre bébé.

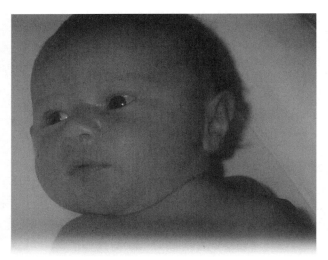

Il existe très peu de situations d'ordre médical qui empêchent l'allaitement d'un bébé.

La vie
avec un bébé allaité

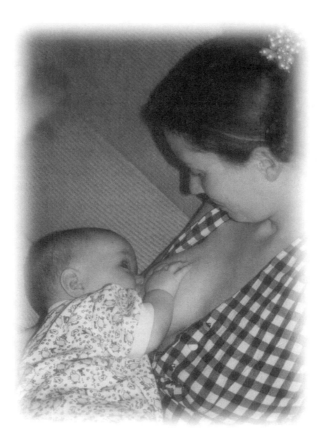

ટ☙*Les bébés changent à jamais la vie de leurs parents,
de façon radicale, bien sûr, mais aussi dans les petits
gestes quotidiens.*

Amour, responsabilité, inquiétude, fierté, doute, tout cela
fait partie de la vie de parent. Mais vous vous démènerez aussi
pour des choses simples comme dormir suffisamment, trouver
le temps de manger, vous organiser pour sortir avec le bébé.

L'allaitement simplifie certains de ces défis. Il aide à créer un lien entre votre bébé et vous, il vous permet de vous sentir bien en tant que mère et il offre des solutions simples à certains problèmes pratiques de parentage.

❧ Dormir suffisamment

Dès le premier jour, et durant des mois, les gens vous demanderont : « Dort-il la nuit ? Dort-il toute la nuit ? Arrives-tu à dormir la nuit ? »

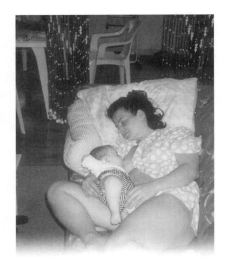

Vous consacrerez beaucoup de temps à l'allaitement de votre bébé durant les premières semaines.

La majorité des gens qui deviennent parents connaissent bien cette obsession du sommeil. Il n'est pas facile de se remettre du stress physique ainsi que des tensions de la grossesse et de l'accouchement tout en prenant soin d'un bébé fragile et exigeant qui ne fait pas la différence entre le jour et la nuit.

Un bébé qui ne dort que quelques heures d'affilée fait ce qui est naturel et bon pour lui. Il a besoin de téter fréquemment pour satisfaire son petit appétit. Le contact fréquent – presque constant – avec sa mère lui procure sécurité et chaleur. Cette capacité de s'éveiller facilement peut même le protéger du syndrome de mort subite du nourrisson. De nombreux experts croient que ce syndrome est lié à la capacité du nourrisson de se réveiller pour respirer pendant une phase de sommeil profond.

Comment survivre ? Dormez en même temps que votre bébé, chaque fois qu'il dort. Faites une sieste pendant la journée. Même si vous ne dormez jamais le jour, vous verrez qu'en vous couchant et en allaitant votre bébé pour l'endormir, vous vous assoupirez aussi. Les premières semaines, les travaux domestiques, la cuisine et les autres tâches du genre ne sont pas aussi essentielles que le repos du corps et de l'esprit.

Il sera sans doute difficile de faire la sieste si vous avez des enfants plus âgés. Peut-être qu'alors la mère, le bébé et les autres enfants pourraient s'étendre ensemble ou au moins profiter de quelques instants de calme consacrés aux casse-tête, à la lecture ou à la discussion. Ou encore, apportez quelques jouets favoris dans votre chambre à coucher où votre enfant ne peut se faire mal, fermez la porte et laissez votre bambin s'amuser pendant que votre bébé et vous sommeillez. Même le simple fait de vous étendre sur le sol et de laisser votre bambin s'amuser près de vous durant 15 à 20 minutes peut vous redonner de l'énergie et vous permettre de continuer jusqu'au coucher.

Les tétées de nuit

Les nouveau-nés ont besoin d'être nourris la nuit, et si votre bébé est allaité, il n'y a que vous qui pouvez le faire. Parce que le lait maternel se digère très rapidement, les bébés allaités peuvent se réveiller plus souvent que ceux qui sont nourris au biberon. Une étude a démontré que les bébés allaités commençaient à dormir toute la nuit à un âge plus avancé.

Cependant, il est possible d'allaiter et de dormir suffisamment. Comment ? Pour allaiter la nuit, il ne faut rien de plus qu'une mère, un bébé et un endroit douillet où ils pourront être ensemble. Nul besoin de se rendre jusqu'à une cuisine froide pour prendre un biberon, ni d'attendre que le lait soit chaud pendant que le bébé pleure. La lumière est inutile puisque le bébé peut prendre le sein facilement. Vous n'avez même pas à vous lever si papa est prêt à vous aider ou si votre bébé dort déjà contre vous. Vous pouvez même allaiter la nuit sans vous éveiller complètement et vous rendormir facilement.

L'endroit le plus simple pour allaiter la nuit est au lit, couchée. Une fois que la mère a mis son bébé au sein, elle peut se rendormir ou au moins se reposer pendant qu'il tète. Pour changer de côté, tenez votre bébé contre votre poitrine et roulez sur le dos. (Ou bien, s'il y a peu de place, faites glisser le bébé sur le lit en le faisant passer sous vous.) Quand la tétée est terminée et que votre bébé dort, vous pouvez le coucher dans son lit ou le laisser dormir près de vous jusqu'à ce qu'il se réveille à nouveau pour téter.

Ne vous inquiétez pas, vous n'écraserez pas votre bébé ; même en dormant, les mères ont conscience de la présence de leur bébé. En plaçant votre lit contre le mur, votre bébé ne pourra pas tomber ;

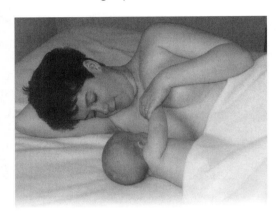

ou encore vous pouvez acheter une barrière de lit du genre de celles qui sont conçues pour les bambins qui dorment dans un grand lit. Votre conjoint et vous pouvez accepter ou non l'idée de dormir avec votre bébé, mais cela vaut la peine d'essayer au moins les premières semaines. Les mères et leurs bébés ont dormi ensemble depuis la nuit des temps et ce n'est qu'à partir du siècle dernier, dans les pays où la prospérité le permettait, que les bébés ont eu leur lit, dans leur propre chambre, loin de leurs parents. Le fait de dormir ensemble convient encore très bien à de nombreuses mères et à leur bébé allaité car cela permet à toute la famille de dormir suffisamment.

Si vous songez à le faire, il serait préférable d'en discuter avec votre conjoint. Vous aurez besoin de son appui. Un bébé qui dort avec ses parents ne dort pas nécessairement entre eux. Il peut être couché contre le mur et ainsi les parents peuvent continuer à dormir dans les bras l'un de l'autre. De plus, bien des parents trouvent que le fait de garder leur bébé avec eux la nuit leur permet d'apprécier de façon différente cet être magique, fruit de leur amour. Toutefois, les parents ont souvent peur de ne pas trouver un endroit ni un moment pour faire l'amour quand le bébé dort avec eux. Si votre bébé s'endort dans vos bras en tétant, couchez-le dans sa couchette ou son berceau pour la première partie de la nuit pendant que votre conjoint et vous profiterez de votre intimité. Lorsqu'il se réveillera, vous pourrez le prendre dans votre lit pour le reste de la nuit ou le déplacer doucement de votre lit à sa couchette quand il dormira. Rappelez-vous également qu'on peut avoir des relations sexuelles ailleurs que dans un lit.

Dormir avec son bébé ne convient pas à tous. Certaines mères trouvent qu'un bon fauteuil confortable, où l'on peut se blottir, fait très bien l'affaire pour les tétées de nuit alors que d'autres préfèrent une berceuse. Ayez une couverture chaude sous la main pour vous couvrir tous les deux. Mettez des oreillers sur vos genoux pour soutenir le bébé, surtout si vous sommeillez. Après avoir bu, la plupart des bébés ont besoin de rester dans nos bras durant quelques minutes. Cela leur permet de s'endormir profondément et on peut ensuite les recoucher sans les réveiller.

Demeurez souple par rapport aux tétées de nuit. Elles sont modifiables à mesure que vos besoins, ceux du bébé et de votre famille changent. Par exemple, vous pouvez allaiter votre bébé et l'endormir dans la chambre d'invité ou sur un matelas posé au sol pour ensuite filer à l'anglaise et aller dormir avec votre conjoint. C'est parfois plus facile ainsi que d'essayer de coucher dans son lit, sans le réveiller, un bébé qui s'est endormi dans vos bras. Les bébés un peu plus âgés peuvent être couchés dans leur lit après s'être endormis près de vous. Le père peut aider en se levant pour aller chercher le bébé qui pleure et l'amener dans le lit. Essayez de ne pas compter les heures et les minutes de sommeil ininterrompu. Penser à rattraper le sommeil perdu ne vous fatiguera que davantage.

Arrive un jour où les bébés et les bambins qui ont l'habitude de dormir avec leurs parents dorment dans leur couchette ou leur propre lit. De même, les bébés et les enfants cessent un jour ou l'autre de se réveiller la nuit. Ils le feront à leur propre rythme, en étant encouragés affectueusement et guidés par leurs père et mère. Bien que certains spécialistes du sommeil affirment qu'on devrait apprendre aux bébés à s'endormir d'eux-mêmes dès leur plus jeune âge, d'autres spécialistes et de nombreux parents croient que les bonnes habitudes de sommeil sont mieux assimilées graduellement, sans conflit et sans pleurs, à mesure que l'enfant se sent prêt, dans un environnement sûr et chaleureux.

Mais si vous êtes éveillée et incapable de vous rendormir quand votre bébé tète, tirez-en pleinement profit : réfléchissez, faites des projets, méditez ou plongez-vous dans un de ces romans captivants et gâtez-vous. Vous pourrez toujours faire une sieste demain.

❧ Pourquoi votre bébé pleure-t-il?

Les bébés pleurent pour de multiples raisons : la faim, l'inconfort, la solitude, la fatigue, la nervosité. Il est plus important d'agir pour consoler votre bébé que de chercher ou non à comprendre exactement pourquoi il pleure. Prenez-le, cajolez-le, marchez en le tenant dans vos bras, bercez-le, offrez-lui le sein. Changez sa couche si elle est mouillée. Emmaillotez-le dans une couverture s'il s'agite, les mois passés dans l'utérus l'ont habitué à se sentir au chaud et à l'étroit. Une chanson ou des paroles douces peuvent le calmer ou bien il peut préférer de légers sautillements ou de petits tapotements qui s'adoucissent à mesure qu'il se calme. Utiliser un porte-bébé (ventral ou en bandoulière) pour faire le ménage ou une promenade est aussi une façon de le calmer. Si ce que vous essayez ne marche pas, restez calme et tentez autre chose.

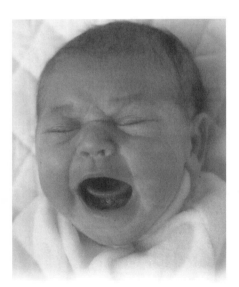

Les bébés apprennent qu'ils ont un certain pouvoir sur les choses quand quelqu'un répond à leurs pleurs. Ils découvrent qu'ils peuvent faire confiance à leurs sensations et à leurs perceptions car les personnes qui s'occupent d'eux les prennent au sérieux quand ils expriment leurs besoins. Puisque les parents les aident à retrouver leur maîtrise de soi, les bébés s'habituent à être heureux. Plus vous apaisez et prenez votre bébé dans vos bras au cours des premières semaines, plus il sera heureux ensuite. N'ayez pas peur de le prendre la plupart du temps, vous ne pouvez gâter un jeune bébé. En fait, le « gâter » maintenant en fera un être plus facile à vivre au fur et à mesure que le temps passera.

N'hésitez pas à offrir le sein à votre bébé quand il est bouleversé. L'allaitement est un agent anti-pleurs puissant. Le contact de la peau chaude, la position de bien-être familière et le rythme de la succion aideront le bébé à se détendre et à se sentir calme à nouveau. Un bébé qui tète pour se consoler ne reçoit généralement pas beaucoup de lait. Si la suralimentation et les régurgitations vous inquiètent, offrez le sein le moins plein, celui auquel il a tété il y a peu de temps, le débit du lait sera plus lent.

Certains bébés pleurent plus que d'autres. Les bébés agités ou ayant des coliques tapent sur les nerfs et minent la confiance des parents. C'est difficile de se sentir une bonne mère ou un bon père quand votre bébé hurle et que rien de ce que vous faites ne semble l'apaiser. Restez près de votre bébé car, même s'il continue à pleurer, il sentira que quelqu'un se préoccupe de ce qu'il ressent. Cherchez plutôt du soutien pour vous, parlez à d'autres parents de bébés difficiles, assistez aux réunions de la Ligue La Leche ou lisez *Le bébé difficile* publié par celle-ci.

ᘒ Combien de fois par jour devrais-je allaiter ?

Les bébés naissants tètent en moyenne 8 à 12 fois par jour. C'est un fait. Mais qu'est-ce que cela signifie dans votre cas ? Comment savoir quand allaiter votre bébé ? Comment savoir s'il boit suffisamment ? Peut-il vraiment avoir faim seulement 45 minutes après la fin de la dernière tétée ? Pourquoi avez-vous l'impression d'être toujours en train d'allaiter ?

L'allaitement fonctionne mieux s'il est pratiqué « à la demande » ou « dès les premiers signes ». Cela signifie qu'il n'y a pas d'horaire fixe et que la mère doit apprendre à décoder le comportement de son bébé. C'est plus facile qu'il ne le paraît, surtout si vous pouvez mettre de côté les notions préconçues et que vous apprenez à voir votre bébé comme une personne. Ses habitudes et ses besoins peuvent sembler désordonnés au début, mais après quelques semaines un certain rythme apparaîtra. Votre bébé et vous saurez reconnaître la faim ou le besoin de téter pour se calmer. D'ici là, allez-y et offrez le sein quand il est agité ou qu'il n'a pas tété depuis un certain temps. Si ce n'est pas ce qu'il veut, il vous le fera comprendre. Lorsqu'on allaite à la demande, c'est rarement, sinon jamais, toutes les trois ou quatre heures pendant le jour. Les bébés peuvent apprendre à dormir plus longtemps entre les tétées la nuit, mais en d'autres temps, probablement à la fin de l'après-midi ou tôt en

> Les bébés apprennent à se faire confiance quand on répond à leurs besoins.

soirée, ils peuvent demander à téter très souvent ou être presque continuellement au sein. C'est normal. L'allaitement calme les nerfs, autant ceux du bébé que ceux de la mère.

Certains livres et des médecins conseillent de ne pas nourrir un bébé qui a bu il y a moins de trois heures car il « ne peut pas avoir encore faim ». Ils ne se rendent pas compte que le lait maternel se digère très rapidement et que le bébé peut sentir que son ventre est vide après 90 minutes ou moins. Malgré toutes les façades de notre civilisation, les êtres humains sont toujours, du point de vue biologique, une espèce ayant besoin de contacts constants. Ce qui signifie que les bébés restent naturellement auprès de leur mère et qu'ils tètent souvent pour se nourrir et se consoler. Si votre bébé veut téter à nouveau après seulement 20 minutes, allaitez-le, considérez cela comme l'équivalent pour vous d'un repas qui se prolonge par un café et un dessert en compagnie de quelqu'un que vous aimez.

🐚 Les inquiétudes concernant votre production de lait

Étude après étude, le manque de lait est la raison la plus souvent mentionnée pour cesser l'allaitement. Bizarrement, cette crainte n'est, en fait, pas justifiée. Plus votre bébé tète, plus vous aurez de lait. Votre corps peut produire assez de lait pour nourrir des jumeaux, ou même des triplets si nécessaire, pourvu que vos seins soient suffisamment stimulés par les tétées.

Dans certaines cultures, l'idée de « ne pas avoir suffisamment de lait » est inimaginable.

Alors pourquoi tant de mères s'inquiètent-elles de leur production de lait ? Existe-t-il une mère, quelque part, qui à un moment ou à un autre ne s'est pas inquiétée de savoir si son enfant mangeait assez ? Si la mère s'inquiète de sa production de lait, c'est aussi à cause de son bébé. En effet, quand il s'agite au sein, qu'il tète longtemps ou qu'il semble téter plus souvent, il est facile de penser qu'on manque de lait. En réalité, on peut généralement expliquer ces comportements autrement. Il est possible que le lait de la mère ne coule pas aussi rapidement que le bébé aimerait ; le bébé peut être fatigué ou surexcité et il a besoin de téter plus longtemps pour se détendre. Il a peut-être besoin d'une présence et qu'on le prenne pour l'aider à passer à travers les tensions qu'il sent dans son entourage, ou il est possible qu'il ne se sente pas bien.

Les poussées de croissance

L'augmentation du temps passé au sein peut s'expliquer par le fait que le bébé vit une poussée de croissance. Il tète plus souvent afin de stimuler les seins de sa mère à produire le surplus de lait dont il a besoin pour sa croissance rapide. Les poussées de croissance semblent survenir surtout vers l'âge de 2 à 3 semaines, 6 semaines et 3 mois. Le bébé pourra demander à téter toutes les heures environ durant un jour ou deux, mais cela finira par diminuer et il reviendra à son horaire d'allaitement habituel. Détendez-vous, mettez les autres choses de côté et allaitez votre bébé. Votre corps sait ce qu'il doit faire. Une plus grande demande de la part du bébé et plus de temps passé au sein feront augmenter votre production rapidement et les choses reviendront à la normale.

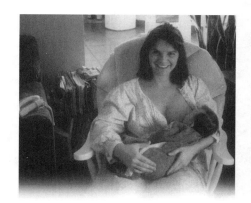

Ne vous inquiétez pas

Le rythme d'allaitement de votre bébé change avec le temps tout comme le fonctionnement de votre corps. Les bébés deviennent des experts dans l'art d'extraire le lait du sein, et il est possible qu'ils diminuent la durée des tétées tout en obtenant suffisamment de lait. À mesure que la production de lait de la mère augmente et qu'elle répond aux besoins de son bébé, ses seins peuvent devenir plus mous et moins pleins entre les tétées mais tout en produisant une quantité égale ou plus grande de lait. Avec le temps, les écoulements de lait cessent et cela non plus n'a rien à voir avec la production de lait de la mère. Un changement dans la sensation liée au réflexe d'éjection – ou aucune sensation – est tout à fait normal.

Quelqu'un peut aussi vous suggérer de donner un biberon au bébé après la tétée «pour voir s'il a encore faim». Cela ne prouve pas que votre bébé ne boit pas assez au sein car certains bébés tètent tout ce qu'on leur offre, sans même avoir faim. (Le sein est idéal dans ce cas puisque le bébé n'obtiendra qu'une petite quantité de lait s'il tète pour se consoler et une plus grande quantité s'il a vraiment faim.)

Ne vous découragez pas si vous n'obtenez que quelques gouttes ou une cuillerée à thé en essayant d'extraire du lait. Votre corps ne réagit pas aussi bien à un tire-lait ou à l'extraction manuelle qu'à la succion de votre bébé. L'extraction de grandes quantités de lait est une technique qui s'acquiert avec la pratique. La quantité de lait que vous extrayez n'a rien à voir avec la quantité que boit votre bébé quand il tète.

Pour vous rassurer

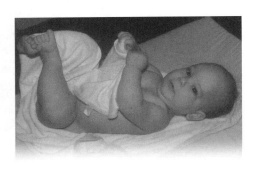

Vous pouvez être certaine que votre bébé reçoit suffisamment de lait tant et aussi longtemps qu'il mouille de six à huit couches de coton ou cinq à six couches jetables par 24 heures et qu'il fait de deux à cinq selles par jour. Passé l'âge de 6 semaines, alors que la vessie du bébé est plus grosse, le nombre de couches mouillées peut diminuer un peu, c'est-à-dire être de cinq à six couches de coton ou de quatre à cinq couches jetables. La régularité des selles peut changer à mesure que le bébé grandit. Certains bébés plus âgés et allaités peuvent passer plusieurs jours sans faire de selles, sans qu'il y ait signe de constipation ou que les selles soient dures et sèches. Lorsque les bébés allaités ont des selles une fois tous les quelques jours, le volume des selles est alors considérable.

Lorsqu'on allaite, la nourriture du bébé provient directement du corps de la mère et cela peut accroître l'inquiétude liée à la quantité de lait que le bébé boit. Ces craintes peuvent être liées à votre perception de vous-même et de votre corps et aux pressions de vos amis, de votre famille, de la publicité et des médias. Dans les cultures où toutes les femmes allaitent et où il n'y a pas d'autre choix possible, l'idée de ne

pas avoir suffisamment de lait pour son bébé est inconcevable.
Par contre, dans notre culture où l'on présume que les bébés seront
éventuellement nourris au biberon, on accuse l'allaitement
chaque fois qu'il y a un écart dans un comportement
tout à fait normal pour un bébé.

Le gain de poids

Tout comme il existe une grande variété de tailles
chez les bébés à la naissance, le rythme de croissance de chacun
est aussi différent. Tant que votre bébé allaité mouille suffisamment de
couches et qu'il fait des selles régulièrement, vous pouvez être certaine
qu'il grandit au rythme qui lui convient. Il est impossible de surali-
menter un bébé allaité.

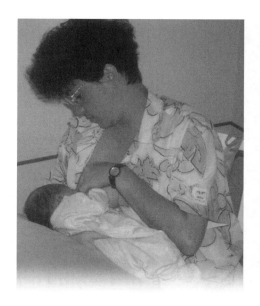

Donner des
suppléments de lait
artificiel peut mener au
sevrage.

Un gain de poids lent chez un bébé
allaité peut parfois inquiéter la mère et le
médecin. Si tout semble normal – nombre
de couches mouillées, selles fréquentes
(surtout chez un bébé de moins de 6
semaines), état de santé général – votre
bébé est tout simplement un bébé qui
grandit lentement, ce qui est correct. Les
bébés n'ont pas besoin d'être gros pour
être en bonne santé. Les courbes de
croissance ne donnent que des moyennes
et, de plus, les courbes utilisées généralement ont été établies à partir de popula-
tions composées en grande partie de bébés
nourris au biberon. Des recherches plus
récentes ont démontré que les bébés
allaités pourraient, après l'âge de 4 mois,
gagner du poids plus lentement que les
bébés nourris au biberon. Ils sont modelés
pour être plus élancés que les bébés nourris au biberon.

Donner des suppléments de lait artificiel est rarement la solution au gain de poids lent et cela risque facilement de mener au sevrage. Si vous avez des raisons de croire que votre bébé ne boit pas assez

de lait, étudiez attentivement ses habitudes d'allaitement. Boit-il au moins 8 à 12 fois par 24 heures? Dort-il longtemps durant la journée sans s'éveiller pour téter? Ne boit-il que quelques minutes à chaque tétée? L'entendez-vous avaler durant cinq à dix minutes à chaque sein et à chaque tétée? Prend-il bien le sein et tète-t-il de façon efficace? (Pour plus de détails, consultez le chapitre quatre.)

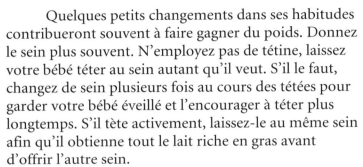

Quelques petits changements dans ses habitudes contribueront souvent à faire gagner du poids. Donnez le sein plus souvent. N'employez pas de tétine, laissez votre bébé téter au sein autant qu'il veut. S'il le faut, changez de sein plusieurs fois au cours des tétées pour garder votre bébé éveillé et l'encourager à téter plus longtemps. S'il tète activement, laissez-le au même sein afin qu'il obtienne tout le lait riche en gras avant d'offrir l'autre sein.

Un bébé qui gagne lentement du poids peut miner la confiance de la mère. En effet, il est facile de croire qu'on est en cause et il devient difficile de trouver ce qui ne va pas si l'on est inquiète au sujet de notre bébé ou de nous-même. Si c'est la croissance de votre bébé qui vous tracasse, parlez-en à une monitrice de la Ligue La Leche. Elle vous aidera à décider s'il y a lieu de modifier les habitudes d'allaitement de votre bébé et vous suggérera des choses à essayer. Elle peut aussi vous donner le soutien dont vous avez besoin pour vous sentir en confiance et poursuivre votre allaitement.

❧ Les premiers jours à la maison

Les responsabilités qui accompagnent la venue d'un bébé sont considérables et elles ne s'arrêtent jamais car être parent c'est pour la vie. Ce lien est particulièrement étroit lorsque vous êtes source de nourriture, de consolation et de soins. Un nouveau-né allaité change la vie à la maison et hors de celle-ci.

Vos premières semaines post-partum se passeront probablement comme dans un nuage, à allaiter, changer les couches, prendre le bébé et faire la lessive. Presque tout votre temps et toute votre énergie seront consacrés à materner votre nouveau-né. C'est une période où il faut laisser des choses de côté, demander de l'aide aux autres et accepter toutes les offres de vos amies et parents disposés à vous donner un coup de main, à une exception près. Acceptez l'aide pour nettoyer la maison, préparer des repas ou plier les couches mais refusez que quelqu'un d'autre prenne soin du bébé. C'est une période privilégiée où vous apprenez à connaître votre bébé et vous êtes l'experte en ce qui concerne ses besoins. Des personnes attention-nées s'occuperont de vos besoins à vous (et de ceux du père) et vous donne-ront la possibilité de prendre du bon temps pour connaître et allaiter votre nouveau-né.

C'est une période privilégiée où vous apprenez à connaître votre bébé.

Malheureusement, les aides ne sont pas toujours sensibles aux vrais besoins de la mère et il est bien difficile de résister aux charmes du bébé. Ces personnes vous offriront de prendre le bébé, de lui don-ner un biberon même, pour que vous puissiez dormir ou préparer le repas. Ce n'est pas vraiment utile pour vous et vous devrez prévoir des tactiques pour canaliser leur énergie vers d'autres travaux : « Merci de me l'offrir mais mon bébé a faim et je dois le nourrir. Pourrais-tu faire autre chose pour moi ? Je me sentirais beaucoup mieux si la vaisselle était lavée. Tu pourras le prendre ensuite quand il sera endormi et je pourrai prendre une douche. »

Présenter son nouveau-né aux visiteurs fait partie du plaisir d'avoir un bébé, mais ne vous laissez pas prendre au piège en vous épuisant à recevoir, à faire la cuisine puis le nettoyage après le départ de vos invités. La plupart des gens sont prêts à donner un coup de main, si on leur indique ce qu'on attend d'eux. Ils ont déjà été de nou-veaux parents eux aussi ou, à tout le moins, ils peuvent reconnaître que vous avez besoin d'un peu d'aide.

Le retour au quotidien

L'excitation de la naissance disparaît peu à peu, votre bébé grandit et change, et le brouillard qui vous entourait au début se lève. Bientôt vous vous demandez : est-ce que je pourrai faire quelque chose un jour? Quand la vie redeviendra-t-elle comme avant? Pourquoi est-ce que l'allaitement semble si accaparant?

Que vous bénéficiez d'un bref congé de maternité ou que vous ayez prévu prendre soin de votre bébé à temps plein durant les mois à venir, il n'est pas toujours facile de s'habituer à demeurer à la maison toute la journée. Au cours de votre grossesse, vous vous étiez peut-être imaginée en train de faire le ménage des placards, de tapisser les murs de la salle de bain ou de profiter de nombreux moments de loisir pendant que votre bébé sommeille ou qu'il vous observe, bien installé dans son siège de bébé. La réalité est bien différente. Peut-être que la seule chose que vous parvenez à faire est de regarder les émissions de télévision puisque vous avez amplement le temps de le faire en allaitant.

Passer la journée à la maison avec un bébé est bien différent que de sortir tous les jours pour aller travailler. C'est beaucoup moins structuré, il n'y a pas d'horaire fixe, pas de reconnaissance systématique, pas de chèque de paye. Même le plus simple des travaux domestiques peut sembler décourageant quand vous essayez de vous y mettre avec le bébé dans les bras, un bébé qui vous a signifié clairement qu'il voulait y rester. Les mères et les grand-mères expérimentées qui repensent à l'époque où elles avaient des bébés se font un plaisir de vous dire de profiter de votre bébé pendant que vous le pouvez car « ils grandissent tellement vite ». C'est sans doute vrai, mais certaines journées semblent interminables.

Comment arriver à jongler avec les travaux domestiques, à passer du temps avec votre conjoint et vos autres enfants, à faire les choses que vous voulez faire pour vous-même et votre bébé qui a besoin d'une nourriture physique et émotive, tout cela sans rien laisser tomber? D'abord, donnez-vous des priorités : les gens d'abord, les choses ensuite. Les bébés et les jeunes enfants ne peuvent attendre, les adultes, eux, oui, si c'est nécessaire. En gardant en mémoire ces deux principes, il sera plus facile de décider ce qu'il convient de faire en premier quand vous savez que vous ne pourrez tout faire.

Ensuite, diminuez vos attentes : des repas simples, des vêtements propres (pas de repassage) et une maison suffisamment en ordre, mais bien loin de la perfection des photographies qu'on trouve dans des revues de décoration. Vous aurez du temps pour prendre soin de toutes ces choses quand vos enfants seront plus âgés. (Oui, oui!) Oubliez l'aspirateur. Sortez votre livre de recettes rapides à faire. Faites-vous donner une coupe de cheveux de style facile à coiffer. Portez des vêtements d'entretien facile.

Enfin, soyez créative dans votre façon de faire les choses. Tout est possible. Préparez le dîner le matin pendant que votre bébé dort et réchauffez-le au moment de servir. Cuisinez en grande quantité. Pliez le linge pendant que vous parlez au téléphone. Mettez le bébé dans son porte-bébé pendant que vous rangez et que vous passez l'aspirateur. Au moins il sera content d'être près de vous, et si vous avez de la chance, le mouvement et le bruit l'endormiront. Invitez grand-maman ou une autre personne pour vous aider si vous avez beaucoup de travail à faire. Elle pourra prendre le bébé et jouer avec lui pendant que vous travaillez et assurer la relève quand vous vous arrêterez pour allaiter. Donnez-vous de petites tâches à faire : nettoyer une armoire de la cuisine aujourd'hui, une autre la semaine prochaine ; faites de petits travaux de couture, pas de grands projets ; lisez de courtes histoires ou un nouveau magazine mais tenez-vous loin des best-sellers de 900 pages.

Il n'est pas toujours facile de s'habituer à rester à la maison toute la journée.

Ayez l'esprit ouvert et soyez consciente de vos limites tant que vos enfants sont jeunes. Bien des gens, y compris les conjoints, ne se rendent pas compte que les soins aux enfants constituent un emploi à temps plein. Assurez-vous du concours de votre conjoint puisque vous essayez tous deux de trouver un style de vie convenant à votre nouvelle famille.

Accaparée par l'allaitement

Quand vous êtes la mère d'un petit être totalement dépendant et très exigeant, vous pouvez en venir à vous oublier provisoirement, prise que vous êtes par les besoins du bébé. Cette étape de votre vie peut représenter un défi à relever et, parfois, il semble que l'allaitement est en partie la cause du problème. Si vous songez à sevrer ou à donner des biberons de façon régulière, réfléchissez-y bien. Qu'attendez-vous du sevrage ? Le besoin de votre bébé d'être pris ne diminuera pas et il ne deviendra pas moins exigeant. Cela ne l'empêchera pas de vouloir être avec vous et il ne dormira pas plus la nuit. Passer à l'alimentation au biberon peut, de bien des façons, rendre la vie plus difficile et vous vous ennuierez de la facilité et de la simplicité de l'allaitement pour consoler votre bébé. La fatigue est normale chez les mères de nouveau-nés, quelle que soit la façon dont elles les nourrissent.

Si vous vous sentez fatiguée, vidée, épuisée, examinez vos propres besoins. Qu'est-ce qui vous aiderait à vous sentir mieux ? Avez-vous besoin de sortir davantage ? de parler à d'autres adultes pendant la journée ? de faire de l'exercice ? Est-ce que de nouveaux vêtements vous remonteraient le moral ? Avez-vous besoin de plus de soutien de la part de votre conjoint ou de vos amies ? Il n'est pas très difficile de trouver une solution à ces problèmes et, en vous accordant un peu d'attention, votre attitude face au maternage sera meilleure, vous accepterez mieux que votre bébé ait besoin de votre présence.

ᴥ Sortir avec son bébé

Si vous avez des endroits où aller et des gens à voir, allez-y. Les bébés allaités s'emmènent facilement. Attrapez quelques couches et sortez.

Une minute ! Et si votre bébé veut téter pendant votre sortie ? Que faire ? Les femmes hésitent parfois à allaiter hors de la maison, dans des endroits publics ou en présence de personnes qui ne font pas partie de la famille immédiate. Elles n'ont jamais vu personne le faire ou, si cela leur est arrivé, elles se disent peut-être : « Ce n'est pas mon genre ». Ou encore elles se rappellent tout à coup ces histoires qu'elles ont entendues au sujet de femmes qui allaitaient dans des restaurants ou des magasins à grande surface et à qui on a demandé de partir. Cela arrive rarement mais ces incidents peuvent marquer fortement les nouvelles mères.

Ce qui est le plus important, c'est de satisfaire les besoins de votre bébé. Les bébés allaités ont besoin de téter fréquemment et il est très difficile de se décider à partir faire des courses, à passer un après-midi au parc ou une soirée avec votre conjoint, pendant le court laps de temps entre les tétées. Emmener le bébé avec soi et l'allaiter là où l'on se trouve facilite les choses. Allaitez discrètement et vous n'aurez pas à vous inquiéter des regards désapprobateurs. Votre bébé sera heureux et calme, et si des gens vous remarquent, soyez fière de votre décision de donner le meilleur à votre bébé.

Allaiter discrètement, de sorte que le sein ne soit pas visible, est un art qui demande une tenue vestimentaire appropriée et de la pratique. Pratiquez à la maison face à un miroir ou demandez à votre conjoint ou à une amie de vous guider. Des ensembles deux pièces dont le haut est ample et non ajusté à la base font très bien. Vous pouvez lever le chemisier ou le chandail afin de permettre au bébé de prendre le sein. Si le chemisier est boutonné, déboutonnez-le à partir du bas. Le bébé cache votre taille et le haut de l'ensemble cache votre sein. Pour mieux vous couvrir, jetez une petite couverture sur votre épaule qui cachera le sein et la tête du bébé. Les porte-bébés de style bandoulière sont parfaits pour allaiter discrètement. En effet, le

Les bébés allaités s'emmènent si facilement. Attrapez quelques couches et sortez!

porte-bébé aide à soutenir le bébé et vous pouvez remonter le tissu au-dessus du sein pendant qu'il tète. Quelques compagnies vendent des vêtements conçus spécialement pour l'allaitement. Tous ces vêtements, robes, coordonnés et justaucorps, ont des plis et des ouvertures conçus pour allaiter discrètement à l'extérieur de chez soi.

Où aller pour allaiter son bébé quand on est au centre commercial? Il y a plusieurs possibilités. Certaines salles de toilettes disposent de fauteuils confortables dans un coin de repos. Cependant, ces endroits sont souvent fréquentés par les fumeurs, ce n'est donc pas toujours le meilleur endroit pour les bébés, ni le plus agréable pour les mères. Si le magasin n'est pas achalandé, vous pourriez utiliser une cabine d'essayage. Un banc confortable dans une allée peut aussi faire l'affaire. Ou encore, arrêtez-vous dans un restaurant à service rapide ou dans un café pour prendre une boisson et une collation et allaitez le bébé à votre table. La table en elle-même vous offrira un peu d'intimité. Vous pouvez aussi vous asseoir dos aux clients. (C'est le moment de profiter des repas au restaurant car cela devient plus difficile avec un bambin.)

🍃 Faire face à la critique

La mode dans les soins aux bébés a subi bien des changements au cours du siècle dernier. Il y a une génération, l'allaitement n'était pas à la mode et, par conséquent, les nombreuses personnes qui prennent la liberté de vous donner des conseils n'en savent pas beaucoup sur le sujet. Ces gens peuvent même rejeter l'idée de nourrir un bébé au sein de sa mère. Leur ignorance et leur réticence face à l'allaitement peuvent vous apparaître comme une critique.

Les esprits s'échauffent vite quand la façon de soigner les enfants est au centre du débat, et il peut être difficile d'accepter la critique lorsqu'on est une nouvelle mère et qu'on cherche l'approbation des autres. Il suffit parfois de comprendre d'où viennent les attitudes et les idées des autres pour parvenir à désamorcer la critique, au moins dans votre esprit. Les mères et les belles-mères qui ont choisi de ne pas allaiter il y a 30 ans, ou qui ont essayé mais sans grand succès, peuvent avoir des sentiments contradictoires concernant l'allaitement et cela influence leurs remarques envers vous. Elles peuvent vraiment croire que le lait maternel est mauvais ou que «les femmes dans notre famille ne produisent pas assez de lait». Leur faire connaître les avantages et le fonctionnement de l'allaitement peut les faire changer d'idée. Vous pouvez également rassurer les personnes qui vous critiquent en leur disant que vous savez qu'elles ont fait de leur mieux pour leurs enfants tout comme vous essayez de prendre les meilleures décisions concernant l'éducation des vôtres. Parfois, la seule façon de contrer la critique est d'accepter d'être en désaccord et de passer à un autre sujet de discussion qui comporte moins d'opposition.

Il faut parfois vous rendre à l'évidence et accepter que ces personnes ne verront jamais les choses comme vous, que rien ne pourra les faire changer d'idée. Évidemment, évitez de vous tourner vers ces personnes quand vous avez besoin d'une oreille attentive parce que votre bébé fait un marathon d'allaitement pendant une poussée de croissance ou parce qu'il se réveille souvent la nuit pour téter. Quand vous avez des difficultés d'allaitement, il est préférable d'en parler à quelqu'un qui comprend votre désir de continuer à allaiter, même quand vous traversez une période creuse. Si vous faites face à de nombreuses critiques concernant l'allaitement de la part de votre famille ou de vos amies, voyez s'il y a des réunions de la Ligue La Leche dans votre localité et assistez-y. C'est un endroit où vous pourrez exprimer vos sentiments face à l'allaitement sans que quelqu'un vous suggère de donner un biberon pour résoudre votre problème.

🌱 Prendre soin de soi

Quand votre bébé est tout petit et totalement dépendant de vous, prendre soin de vous devrait être une priorité. Quand vous vous sentez bien, vous pouvez mieux materner votre bébé.

L'alimentation de la mère qui allaite

Nul besoin de prendre des repas parfaitement équilibrés ni de suivre un régime compliqué pour produire suffisamment de lait de bonne qualité pour votre bébé. Les femmes du monde entier produisent suffisamment de lait pour leurs bébés, que leur alimentation soit peu convenable ou surabondante. La qualité du lait maternel est remarquablement la même malgré la diversité des habitudes alimentaires des mères. Bien qu'un régime composé d'aliments vides et de sucreries ne soit pas recommandé pour personne, il n'aura pas d'effet sur la valeur nutritive de votre lait.

Vous constaterez probablement qu'en allaitant vous pouvez manger un peu plus qu'avant d'être enceinte, sans avoir à vous soucier de prendre du poids. Un régime comportant beaucoup de fruits, de légumes et de glucides (pains de grains entiers et céréales, pâtes, riz et légumineuses) vous donnera la vigueur dont vous avez besoin pour passer la journée. Prenez des aliments complets et bons pour la santé en guise de collations et optez pour de l'eau ou des jus de fruits plutôt que pour les boissons gazeuses ou le café.

Perdre du poids

Vous n'avez pas à attendre que votre bébé soit sevré pour perdre les quelques kilos accumulés durant (ou avant) la grossesse. Certaines femmes perdent du poids graduellement pendant qu'elles allaitent, sans même restreindre leur apport en calories, à cause de la lactation qui demande davantage d'énergie. Soyez patiente, les mères qui allaitent tendent à perdre du poids quand leur bébé atteint l'âge de 3 à 6 mois.

> Les mères perdent du poids pendant qu'elles allaitent, sans même restreindre leur apport en calories.

Si vous voulez faire quelque chose pour perdre du poids, ou pour en perdre plus rapidement, il n'est pas recommandé de suivre une diète sévère pendant que vous allaitez. Une chute dramatique de votre apport en énergie fait intervenir vos cellules graisseuses, ce qui peut entraîner une augmentation du taux de contaminants dans votre lait. De plus, vous serez fatiguée et maussade, moins capable de vous occuper d'un bébé exigeant. Essayez plutôt de réduire la quantité de gras que vous absorbez, ne mettez pas de beurre sur vos rôties, utilisez des vinaigrettes légères, enlevez la peau du poulet. Faites de l'exercice tous les jours, mettez votre bébé dans le porte-bébé ou dans sa poussette et sortez faire une promenade de 30 à 40 minutes. Vous pouvez ainsi perdre facilement et sans danger environ 1 kg à 1,5 kg par mois, sans vous sentir affamée.

Les aliments à éviter

Vous n'avez pas à faire une croix sur le chocolat, la caféine ou même un verre de vin occasionnel simplement parce que vous allaitez. La plupart des mères qui allaitent peuvent manger ce qu'elles veulent sans que cela ait un effet chez leur bébé. Les mises en garde contre le chou, le brocoli, le chocolat ou tout autre aliment précis ne sont que des histoires de bonne femme.

Parfois, un certain type d'aliment dérangera un bébé en particulier, qui a des antécédents familiaux d'allergie. Des rougeurs persis-
tantes ou une agitation inexpliquée peuvent cesser si la mère élimine
les produits laitiers, les œufs ou un autre aliment de son alimentation.
Pour en savoir davantage sur l'allaitement et les allergies, consultez la
liste des ouvrages de références à la fin du livre.

Bien qu'il existe une certaine controverse générale concernant
les effets de l'alcool sur les bébés allaités, on n'a pu démontré qu'une
consommation légère à modérée – un verre de vin au dîner ou une
bière à l'occasion – puisse nuire au bébé. De plus grandes quantités
d'alcool risquent d'entraver le réflexe d'éjection. Le fait de se trouver
légèrement ivre agira sur votre capacité d'être à l'écoute de votre bébé
et de satisfaire ses besoins.

Les drogues illicites et la cigarette

La fumée provenant des cigarettes des parents est dangereuse
pour les bébés et les enfants. Des études ont démontré que les enfants
de fumeurs ont plus souvent le rhume et sont plus sujets aux problèmes respiratoires. Vous pouvez allaiter même si vous fumez, mais il
serait préférable de fumer moins. Une forte consommation de tabac
peut avoir un effet sur votre production de lait et il est possible que
votre bébé prenne du poids plus lentement. La nicotine de cigarette
se retrouve dans le lait maternel, mais les niveaux sont faibles. Si vous
fumez moins d'un paquet de cigarettes par jour, il est probable que la
nicotine n'ait que peu ou pas d'effet sur votre bébé. En tout cas, évitez
de fumer près du bébé.

Les mères qui allaitent ne devraient pas faire usage de drogues
telles que la cocaïne ou la marijuana. La cocaïne reste dans le lait
maternel jusqu'à 60 heures après la consommation ; le bébé allaité
risque donc une intoxication à la cocaïne. L'élément actif de la marijuana, le THC, est concentré dans le lait. Il est présent durant des jours
après sa consommation par la mère et peut être décelé dans l'urine et
les selles du bébé. Tout comme pour l'alcool, l'abus de l'une ou l'autre
de ces drogues a un effet sur la capacité de la mère de prendre soin de
son bébé.

Les médicaments

Assurez-vous que votre médecin sait que vous allaitez s'il doit vous prescrire un médicament. La plupart des médicaments sont sans danger pour la mère qui allaite et son bébé, mais les médecins ne sont pas tous au courant de ce fait, surtout ceux qui traitent rarement des mères qui allaitent. Le médecin du bébé connaît parfois mieux les effets des médicaments sur le bébé allaité que le médecin qui vous soigne.

Si on vous conseille de sevrer votre bébé pour prendre un médicament, dites à votre médecin qu'il est très important pour vous de continuer à allaiter votre bébé. Souvent, le médecin peut prescrire un autre médicament ou bien des recherches plus approfondies vous feront découvrir que ce médicament est compatible avec l'allaitement. Votre monitrice de la Ligue La Leche peut vous aider à trouver des renseignements sur des médicaments précis que vous pourrez présenter à votre médecin.

❧ Les pères et leurs sentiments

Les pères peuvent avoir des questions concernant l'allaitement. Il est donc utile pour les mères de faire part à leur conjoint de ce qu'elles apprennent. Le fait de connaître les avantages de l'allaitement aidera les pères à comprendre que les petits efforts supplémentaires valent la peine. En voyant qu'il est possible d'allaiter dans des endroits publics sans que le sein soit visible, une des inquiétudes fréquentes sera alors dissipée. Plusieurs pères se demandent si l'allaitement à la demande ne « gâtera » pas le bébé et si le couple trouvera du temps pour être ensemble et pour avoir des relations sexuelles. En discutant de ces problèmes dès qu'ils se présentent, ou à l'avance, les parents pourront travailler dans le même sens de sorte que les besoins de chacun seront satisfaits.

Bien des hommes ne se rendent pas compte du rôle important des pères dans le succès de l'allaitement. Le soutien émotif du conjoint

aide la femme à se faire davantage confiance en tant que mère et à surmonter les difficultés qu'elle peut rencontrer en allaitant. C'est bien peu
de chose de dire à quelqu'un « Je sais que tu peux réussir » ou « Tu es si
précieuse pour notre bébé » ou encore « Je suis fier que tu allaites »,
mais des propos sincères de ce genre font chaud au cœur d'une nouvelle mère et elle s'en souviendra toujours. Veiller aux besoins de la
mère quand elle est en train d'allaiter peut être une façon pour le père
de démontrer son amour envers sa conjointe et son bébé. Replacer les
oreillers, apporter un verre d'eau ou une
collation, lui frotter le dos, jouer avec
l'enfant plus âgé ou tout simplement
s'asseoir et parler tranquillement pendant
que le bébé tète peuvent aider la mère à se
sentir aimée et aimante. Le père et le bébé
en récolteront tous les deux les fruits.

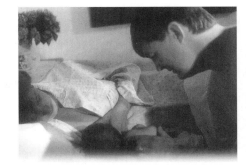

Tout comme les mères, les pères
ont aussi besoin de passer du temps avec
leur bébé pour apprendre à le connaître.
Même si la mère s'occupe seule de l'aspect
alimentaire, il y a encore de nombreux soins au bébé que le père peut
donner s'il en a envie. Donner le bain, faire faire les rots, promener,
calmer, se serrer contre le bébé endormi, tout cela apporte satisfaction.
Il n'est pas nécessaire que les pères donnent un biberon pour apprécier
leur progéniture. À mesure que le temps passe et que les besoins du
bébé passent des soins et du bien-être à la stimulation et à l'animation,
les pères deviennent alors la principale source de vrai plaisir.

🐾 Votre vie sexuelle

Il n'est pas toujours facile de trouver le bon moment pour faire
l'amour après l'accouchement. Les bébés requièrent beaucoup de temps
et d'énergie et la fatigue atténue le désir sexuel. Un bébé change les relations entre les partenaires du couple et leurs relations sexuelles peuvent
en souffrir puisque le père et la mère doivent s'adapter à de nouvelles
tâches quotidiennes et à de nouvelles priorités. C'est important de
parler de ces changements et de faire des efforts pour que votre relation demeure passionnée. Vos relations sexuelles ne seront peut-être

pas aussi spontanées qu'avant. Il vous faudra sans doute planifier, rogner un peu sur le temps, et être disposés à vous arrêter si le bébé se réveille. Mais malgré ces difficultés, l'amour après l'accouchement peut prendre une nouvelle ardeur car la chaleur et la tendresse que les parents ressentent pour leur bébé se communiquent à leurs sentiments réciproques.

L'allaitement n'entrave pas la réaction sexuelle de la femme. L'hormone responsable du réflexe d'éjection, l'ocytocine, est aussi libérée au moment de l'excitation sexuelle. Chez la femme qui allaite, il est donc possible que du lait coule de ses seins pendant les relations sexuelles. On peut arrêter l'écoulement en appuyant sur les mamelons ou bien ayez une serviette sous la main. En allaitant le bébé ou en extrayant un peu de lait avant, vous réduirez l'écoulement si cela vous pose des problèmes.

Les femmes qui allaitent peuvent aussi ressentir une sensation de sécheresse vaginale ou un malaise pendant les relations. Ce fait est lié aux taux d'hormones durant la lactation mais cela ne signifie pas que vous n'appréciez pas les attentions de votre conjoint. Un peu plus de jeux amoureux ou l'utilisation d'un lubrifiant, comme le gel K-Y, peuvent vous aider. Les taux d'hormones sont aussi responsables d'une baisse du désir chez certaines femmes qui allaitent. Cette situation est temporaire et s'améliore souvent avec le retour des menstruations.

Le cycle menstruel et la fertilité

L'allaitement supprime l'ovulation et les menstruations, ce qui rend peu probable une nouvelle grossesse. Bien que l'allaitement ne soit pas aussi sûr que les contraceptifs, des recherches récentes ont démontré un taux de grossesse de seulement 2 p. 100 dans les six premiers mois qui suivent l'accouchement chez les femmes qui allaitaient uniquement et qui n'avaient pas eu de retour des menstruations. Ce taux se compare avantageusement aux taux de grossesse des méthodes de contraception artificielles. « Allaiter uniquement » veut dire que le bébé prend tout, ou presque tout, son lait au sein de sa mère. Le bébé est nourri fréquemment, y compris la nuit, prend rarement un biberon et satisfait tous ses besoins de succion au sein, sans sucette.

Quand votre bébé commence à prendre des aliments solides, qu'il espace ses tétées et qu'il dort plus longtemps la nuit, les possibilités de devenir enceinte augmentent, même si le retour des menstruations n'a pas encore eu lieu. Certaines femmes ont une ovulation sans avoir d'abord des menstruations «annonciatrices», surtout quand le bébé vieillit, qu'il commence à manger ou qu'il est bien engagé sur le chemin du sevrage. Si vos menstruations sont revenues, considérez-vous fertile et prenez des précautions si vous ne voulez pas vivre une nouvelle grossesse.

Les méthodes de contraception qui ne font pas appel aux hormones n'ont aucun effet sur l'allaitement; on trouve dans cette catégorie le diaphragme, la cape cervicale, les condoms, les spermicides, l'éponge contraceptive et le stérilet de cuivre. Les contraceptifs oraux combinés peuvent causer des problèmes aux femmes qui allaitent. En effet, l'œstrogène qu'ils contiennent peut réduire la production de lait, en modifier la composition et avoir un effet sur la croissance du bébé. On n'a pas rencontré ces effets chez les femmes utilisant des pilules ne contenant qu'un progestatif, dans les cas d'implants aux progestatifs ou de progestatifs pris par injections. Quand la mère prend l'un ou l'autre des contraceptifs de type hormonal, son lait contient de petites quantités d'hormones synthétiques, et certains spécialistes ont manifesté des inquiétudes concernant d'éventuels effets à long terme sur les bébés. Vous voudrez sans doute discuter de tout cela avec votre professionnel de la santé.

Chapitre 6

Regard vers l'avenir

🕊 *Les bébés changent, quotidiennement.*

Les réflexes font place à l'habileté, les grands yeux ébahis avec lesquels les nouveau-nés regardaient leurs parents font place aux gazouillis et aux sourires. Les bébés qui grandissent fourmillent d'impatience quand ils sentent venir le moment de téter. Parfois, ils arrêtent de téter un instant et sourient de contentement à leur mère comme pour dire : « Hum, c'est tellement bon ». Les mères se sentent parfois prises au piège de l'allaitement dans les premières semaines, mais elles découvrent souvent que ce geste devient plus valorisant et plus facile avec le temps.

❧ En grandissant, le comportement change

Les besoins du bébé changent en grandissant. Un bébé allaité de quelques semaines pourra avoir encore besoin de téter souvent, mais beaucoup moins que lorsqu'il était nouveau-né. Bien sûr il y aura des périodes difficiles, comme la fin de l'après-midi ou le début de soirée, où il vous semblera qu'il tète continuellement. Par contre, à d'autres moments, les bébés qui grandissent sont tellement occupés à jouer avec papa, à découvrir leurs orteils ou à regarder défiler les étagères à l'épicerie qu'ils en oublient de boire durant un certain temps.

Certains bébés sont tellement absorbés par tout ce qui se passe autour d'eux qu'il devient difficile de les prendre pour les allaiter. Pour que ce soit plus facile, allaitez dans un endroit calme, dans la pénombre, au moins quelques instants. Sinon votre bébé risque de rattraper le temps perdu en tétant davantage la nuit.

L'allaitement devient moins intéressant pour votre bébé ?

Avant l'âge de 1 an, les bébés se sèvrent rarement sans une aide quelconque de la part de leur mère. Si un jeune bébé semble moins intéressé par l'allaitement ou s'il refuse de téter, ce n'est pas toujours parce qu'il est prêt à se sevrer. Un nez congestionné rend la respiration difficile au sein, donc un bébé ayant le rhume peut être agité pendant la tétée ou téter moins longtemps. Le médecin pourrait suggérer un décongestionnant doux ou bien vous pourriez vous servir d'une poire nasale pour dégager le nez de votre bébé. Un bébé qui fait une otite peut refuser de se coucher sur le côté pour téter parce que cela lui fait mal. Si vous soupçonnez une infection de l'oreille, téléphonez à votre médecin. Certains bébés peuvent aussi changer leur rythme d'allaitement s'ils percent des dents ou s'ils ont des douleurs dans la bouche pour une autre raison.

Les biberons de suppléments donnés fréquemment entraînent parfois une perte d'intérêt envers l'allaitement. Le bébé qui prend des biberons régulièrement peut en venir à les préférer, ou du moins s'attendre que le sein soit exactement comme le biberon. Il peut protester contre le fait de devoir attendre que le réflexe d'éjection de sa mère soit stimulé. À mesure que les biberons remplacent les tétées et que le bébé tète moins, la production de lait de la mère diminue, ce qui l'incite à offrir encore plus de biberons. Très vite la mère et son bébé s'engagent sur le chemin du sevrage, même si ce n'était pas au départ l'intention de la mère.

Toutefois, il est possible de rétablir votre production de lait en réduisant graduellement les suppléments. Plus le bébé tète, plus vous produirez de lait. Offrez le sein avant de donner le biberon. Laissez votre bébé se réconforter au sein même si vous pensez qu'il n'a pas faim. Pendant quelques jours, projetez de passer la majeure partie de votre temps à allaiter votre bébé, à le cajoler, à le prendre et à le porter. À mesure que votre production augmente, votre bébé prendra moins de lait artificiel au biberon et vous pourrez éliminer les biberons, un à la fois.

Si votre bébé doit boire régulièrement au biberon parce que vous travaillez et que vous êtes séparée de lui, allaitez-le fréquemment quand vous êtes avec lui, cela l'aidera à maintenir son intérêt. Il en est de même des contacts peau à peau et des nombreuses interactions avec vous.

La grève de la tétée

Un bébé qui tétait bien et qui refuse subitement de téter fait ce qu'on appelle la « grève de la tétée ». Ce moment peut être frustrant et malheureux, tant pour la mère que pour son bébé. Les raisons de cette grève sont aussi individuelles que le sont les bébés en question. Vous ne saurez peut-être jamais pourquoi votre bébé a refusé de téter. Toutefois, avec de la patience et de la persévérance, la plupart des bébés se remettent à téter en deux à quatre jours. Portez beaucoup d'attention à votre bébé et donnez-lui beaucoup de contacts peau à peau afin qu'il se rappelle combien votre présence est agréable. Offrez-lui le sein à un moment où il ne s'attend pas à être nourri, par exemple quand il est somnolent ou qu'il commence tout juste à s'éveiller. Essayez de le déjouer en prenant une position d'allaitement différente. Allaitez-le dans un fauteuil berçant ou en marchant, le fait de bouger peut le distraire de son refus de téter. Durant la période où il ne tète pas, vous devrez extraire votre lait à la main ou avec un tire-lait afin de maintenir votre production. Vous pourrez lui donner ce lait à la tasse.

Quand un bébé fait la grève de la tétée ou qu'il s'agite beaucoup au sein, vous pouvez croire qu'il vous rejette puisqu'il refuse votre lait. C'est difficile pour une mère de ne pas se sentir personnellement visée. Vous accepteriez probablement mieux ces sentiments si vous pouviez comprendre son refus de téter, mais il n'y a pas toujours d'explication valable. Si le comportement de votre bébé au sein vous rend confuse ou inquiète, téléphonez à une monitrice de la Ligue La Leche et discutez-en avec elle. Elle pourra vous aider à faire le point sur ce qui se passe et vous donner le soutien dont vous avez besoin afin de trouver une solution.

❧ Quand votre bébé perce des dents

Les bébés peuvent percer toutes leurs dents — incisives, molaires et canines — sans que leur mère ne ressente quoi que ce soit pendant les tétées. En effet, la langue couvre les dents du bas pendant la succion et les dents du haut peuvent laisser une légère marque ou empreinte là où elles appuyaient sur les tissus souples de l'aréole, mais cela ne fait pas mal. Il n'est pas nécessaire de cesser l'allaitement parce que votre bébé perce des dents.

Il n'est pas nécessaire de cesser l'allaitement quand votre bébé perce des dents.

Cependant, il arrive que certains bébés mordent, surtout quand leurs dents sont toutes neuves et qu'ils ne savent pas encore très bien s'en servir. Les morsures risquent davantage de survenir vers la fin de la tétée alors qu'ils tètent pour leur bien-être ou par jeu.

Si votre bébé se cramponne au mamelon en s'endormant, il vous faudra enlever votre mamelon de sa bouche avec précaution. Insérez votre index entre ses gencives et repliez-le autour de votre mamelon pour le sortir. Votre index le protégera si votre bébé s'y cramponne à nouveau pour le garder dans sa bouche.

Lorsqu'un bébé mord pour la première fois, il peut s'attendre à une réaction très vive de la part de sa mère : « Aïe! ». Cela suffit à en persuader quelques-uns de ne pas recommencer. D'autres, par contre, poursuivront leurs expériences. Ce qu'il faut faire pour apprendre à votre bébé à ne plus mordre dépend de son âge et de son tempérament. Un bébé plus âgé peut comprendre que sa mère mettra immédiatement fin à la tétée s'il mord et qu'il ne pourra téter à nouveau avant un certain temps, peut-être 20 minutes ou plus. Cette méthode, accompagnée d'un cri de douleur de la mère, peut être trop dure à accepter pour un bébé plus sensible alors qu'un jeune bébé sera incapable de comprendre le lien entre l'action et les conséquences.

Vous pouvez prévenir les morsures en surveillant attentivement votre bébé vers la fin de la tétée. Son comportement au sein, par exemple une certaine lueur dans son regard, vous avertira qu'il s'apprête à mordre et vous pourrez l'enlever du sein avant qu'il passe à l'action.

L'introduction des aliments solides

Les bébés allaités n'ont pas besoin d'aliments solides avant l'âge de 6 mois environ. Il y a de bonnes raisons pour attendre aussi longtemps. En effet, les aliments solides remplacent peu à peu le lait dans l'alimentation du bébé. S'il mange des céréales, des bananes ou des carottes, il aura moins faim et il aura moins envie de boire au sein.

L'introduction hâtive d'aliments solides ne fait que remplacer le lait maternel par une alimentation moins nutritive.

Comme il tètera moins, votre production de lait diminuera et votre bébé pourra se désintéresser du sein plus tôt que vous ne l'aviez prévu. De plus, les aliments solides ne sont pas aussi nourrissants que votre lait. Il faut un régime alimentaire complet et équilibré pour fournir tous les éléments nutritifs dont les enfants et les adultes ont besoin. La quantité limitée de solides pris par le bébé ne peut égaler l'alimentation complète que lui fournit le lait maternel. Donc, l'introduction hâtive d'aliments solides ne fait que remplacer le lait maternel par une alimentation moins nutritive.

Les risques d'allergie sont une autre raison pour attendre. En effet, les bébés sont davantage sujets à développer des allergies alimentaires quand ils commencent les solides à un très jeune âge. De plus, l'introduction hâtive des solides risque de favoriser l'obésité. Enfin, selon le point de vue des mères, donner des aliments solides à de jeunes bébés est une opération salissante. C'est beaucoup plus facile quand le bébé peut s'asseoir de lui-même et qu'il ne repousse plus automatiquement, avec sa langue, tout ce qui entre dans sa bouche.

Pourquoi certaines personnes, y compris des médecins, recommandent-elles l'introduction des aliments solides avant même l'âge de 4 mois? Il fut un temps où l'on donnait des céréales à des bébés âgés d'à peine 3 ou 4 semaines, pour s'assurer qu'ils prennent un certain nombre de calories. Les médecins étaient réticents à ne donner qu'un aliment – du lait artificiel – aux bébés pour combler tous les besoins nutritifs durant une grande période de temps. Cette crainte ne s'applique pas vraiment aux bébés allaités qui profitent d'une saine alimentation grâce au lait maternel. Puis est venue l'idée d'ajouter des céréales au régime alimentaire des bébés pour les aider à « faire leur nuit ». Des études, de même que l'expérience de nombreuses mères, ont démontré que cela ne sert à rien.

Votre médecin peut vous recommander de donner à votre bébé des céréales enrichies de fer pour prévenir l'anémie. Ce n'est pas vraiment nécessaire. Bien que la quantité de fer dans le lait maternel soit faible, ce fer est très bien absorbé et, avec les réserves que le bébé avait à la naissance, est généralement suffisant jusqu'à l'âge de 6 mois et parfois plus. S'il y a des inquiétudes, un simple test sanguin permettra de savoir s'il est nécessaire d'ajouter un supplément de fer à l'alimentation de votre bébé.

Prêt pour les aliments solides?

Les annonces dans les revues et les coupons-rabais dans votre courrier rendent souvent attirants ces jolis petits pots pour bébé qu'on trouve sur les rayons des supermarchés. Il est cependant préférable d'attendre que votre bébé vous montre qu'il est prêt. Vous connaissez mieux les besoins de votre bébé que ces compagnies qui essaient de vous vendre leurs produits.

Quand un bébé est vraiment prêt à manger des aliments solides, il est difficile de l'empêcher d'essayer. C'est un exploit que de manger tout en ayant son bébé sur les genoux. Il attrape tout et peut très bien vider le contenu de votre assiette sur la table. Il vous regardera manger, suivant attentivement chaque bouchée qui va de votre assiette à votre bouche. Tout ce qu'il attrape avec ses mains va directement dans sa bouche.

L'augmentation de son appétit indique aussi que votre bébé est prêt à manger des aliments solides. Si un bébé d'environ 6 mois demande tout à coup à téter plus souvent et que cela se poursuit de quatre à cinq jours sans autre raison apparente, c'est qu'il est probablement prêt à manger davantage. Présentez-lui des solides. Cependant, s'il a moins de 6 mois, agissez avec prudence. Ce changement peut être attribuable à une simple poussée de croissance ou encore à un

Il faut s'attendre à nettoyer un peu quand notre bébé apprend à manger seul.

malaise de votre bébé, à moins qu'il n'ait besoin de plus d'attention pour une raison quelconque.

Même lorsque votre bébé commencera à manger une grande variété d'aliments, votre lait demeure une part importante de son alimentation. Il lui fournit une bonne partie des protéines et beaucoup de calories ainsi que d'autres éléments nutritifs dont il a besoin quotidiennement.

Comment introduire les aliments solides

La première fois qu'un bébé entre en contact avec des aliments solides, c'est beaucoup plus une expérience qu'un véritable repas. Il apprend alors le goût et la texture de la nourriture et comment la faire avancer dans sa bouche pour l'avaler. Pour mesurer le succès des premiers repas, tenez davantage compte de la pratique acquise par votre bébé que de la quantité de nourriture qu'il avale.

La banane mûre écrasée est excellente comme premier aliment. Elle est sucrée, molle et suffisamment collante pour être intéressante. Vous pouvez utiliser une banane fraîche que vous venez de peler; il n'est pas nécessaire de recourir aux petits pots pour bébé pour offrir des repas simples et savoureux. Si vous attendez l'âge de 6 mois avant d'introduire les solides, votre bébé pourra saisir de gros morceaux. Les aliments devront être mous et écrasés mais il ne sera pas nécessaire de les réduire en purée ou de les liquéfier. Un avocat mûr ou des patates douces cuites sont aussi excellents comme premiers aliments. N'offrez qu'un seul aliment nouveau à la fois et attendez quelques jours ou une semaine avant d'en introduire un autre. Si votre bébé fait une réaction allergique – rougeurs, diarrhée, troubles de digestion, nez conges- tionné – vous saurez alors quel aliment est en cause.

Choisissez un moment où votre bébé n'est pas vraiment affamé, soit une demi-heure à une heure après la tétée. Commencez par offrir une très petite quantité d'aliment. (Vous augmenterez la portion gra- duellement avec le temps.) Les bébés allaités se sentent souvent plus à l'aise sur les genoux de leur mère pour ces premiers repas. Vous pouvez vous servir d'une cuillère ou de votre doigt pour introduire la nourriture dans sa bouche. Vous ne devriez pas avoir à encourager, à cajoler ou à faire toute une mise en scène pour faire manger votre bébé. S'il n'est pas intéressé, il tournera la tête, pincera les lèvres fer- mement ou crachera la nourriture. Respectez sa volonté et essayez à nouveau un autre jour. Certains bébés allaités ne s'intéressent pas vraiment aux aliments solides avant l'âge de 7, 8 ou même 9 mois, mais ils continueront de bien grandir et resteront en bonne santé en prenant uniquement du lait maternel.

Préparer des aliments nourrissants pour un bébé qui commence à manger et qui aime faire des découvertes peut être très agréable. Le livre de la Ligue La Leche *L'Art de l'allaitement maternel* renferme beaucoup d'idées concernant des aliments frais et faciles à préparer pour les bébés qui grandissent. Si vous attendez l'âge de 6 mois avant d'introduire des solides, vous découvrirez que votre bébé peut manger une multitude d'aliments que vous préparez déjà pour votre famille. Il pourra même vous apprendre une chose ou deux sur ce qui est bon au goût et bon pour la santé.

❧ Le retour au travail

De nombreuses femmes continuent à allaiter même après leur retour sur le marché du travail. Elles veulent préserver cette sensation de douce intimité que procure l'allaitement. Bien que d'autres personnes puissent prendre soin du bébé et le nourrir, seule la mère peut l'allaiter. Ce geste rappelle à la mère et à son bébé que leur relation est unique. Il est particulièrement agréable de se retrouver à la fin de la journée quand on peut se blottir, tous les deux, dans un canapé pour la tétée et se détendre avant que la mère prépare le repas ou s'attaque aux travaux domestiques.

De nombreuses femmes qui travaillent continuent à allaiter leur bébé.

Concilier le travail et l'allaitement se résume à deux questions : comment maintenir ma production de lait ? et comment nourrir mon bébé pendant mon absence ? Les réponses à ces deux questions dépendent de votre travail, de la personne qui s'occupera de votre bébé et de l'âge de ce dernier.

Pour maintenir votre production de lait

Votre corps continuera à produire du lait quand vous serez séparée de votre bébé. Si vous utilisez un tire-lait pour extraire votre lait, votre corps en produira plus et votre bébé pourra boire ce lait en votre absence. L'extraction de votre lait permet à votre bébé de profiter de la meilleure alimentation qui soit, même quand vous ne pouvez être là pour l'allaiter. De plus, l'extraction préviendra l'obstruction de canal ou la mastite.

Il vous faudra probablement extraire votre lait toutes les trois ou quatre heures quand vous ne pourrez pas allaiter votre bébé. Cela dépend en partie de la fréquence habituelle des tétées et du moment où vos seins commencent à devenir pleins. Si vous travaillez à temps partiel, quatre à six heures consécutives, une seule période d'extraction sera probablement suffisante. Par contre, si vous travaillez huit heures par jour, alors il vous faudra extraire votre lait au moins deux fois. Rappelez-vous d'inclure le temps nécessaire pour vous rendre au travail et en revenir quand vous calculez le nombre d'heures où vous serez séparée de votre bébé.

Trouver un endroit où extraire votre lait pose parfois un problème. L'idéal est encore une pièce propre, tranquille et où on est à l'aise. Il y a peut-être un bureau vide ou bien une autre pièce vide où se trouve un fauteuil et dont la porte se verrouille. De nombreuses femmes doivent se contenter de la salle de bain, d'une cabine de toilette, mais vous pourrez peut-être trouver une meilleure solution avec l'appui de vos collègues ou de votre patron. Placez une photo de votre bébé dans la mallette du tire-lait, elle vous fera penser à lui, ce qui aidera à mieux stimuler votre réflexe d'éjection.

L'extraction avec un tire-lait prendra de 15 à 20 minutes de votre temps le midi ou pendant la pause. Quand l'extraction est terminée, placez votre lait au réfrigérateur ou dans un contenant isolant. Vous pourrez rapporter votre lait dans le contenant isolant à la fin de la journée. Votre bébé pourra alors le boire le lendemain pendant votre absence ou vous pourrez le mettre au congélateur pour plus tard. (Pour plus de détails sur l'extraction avec un tire-lait et sur la conservation du lait maternel, consultez le chapitre quatre.)

Vos collègues peuvent trouver étrange et embarrassante cette idée d'extraire votre lait, surtout si vous êtes la première femme dans votre milieu de travail à le faire. Rappelez-vous que vous le faites pour votre bébé et que c'est important. Avoir le sens de l'humour aide alors. Vous pourriez même faire remarquer à vos collègues qu'ils profitent aussi de votre allaitement : votre bébé allaité risque moins d'être malade et vous, d'être absente de votre travail.

Comment nourrir votre bébé pendant votre absence

Le nombre de biberons et la quantité de lait nécessaires à votre bébé dépendent de son âge, de ses habitudes d'allaitement et de la durée de votre absence. Il n'existe pas de règle stricte et précise. Un bébé plus âgé qui prend des solides pendant votre absence peut avoir besoin d'une plus petite quantité de lait. Par contre, un bébé de 3 ou 4 mois qui ne boit que du lait aura besoin d'une plus grande quantité. C'est une bonne idée de commencer à extraire votre lait à la maison quelques semaines avant de retourner au travail. Vous ne serez pas aussi stressée par l'extraction si vous avez des réserves de lait au congélateur pour les jours où les besoins de votre bébé dépasseront votre capacité de production. Au début, conservez le lait en petites quantités — environ 50 ml par contenant — jusqu'à ce que vous soyez plus certaine de la quantité qu'il prend à chaque fois.

Pour transporter le lait chez la personne qui prendra soin de votre bébé, placez-le sur de la glace dans un contenant isolant. Elle le placera au réfrigérateur (ou au congélateur, s'il est déjà congelé) jusqu'à l'heure prévue du boire. Elle devrait commencer par donner au bébé le lait frais et réfrigéré que vous avez extrait la veille puis, si c'est nécessaire, le lait congelé. La personne qui s'occupe de votre bébé réchauffera ou décongèlera le lait lentement en tenant le sac ou le contenant sous l'eau courante tiède.

Que faire si votre bébé refuse de boire au biberon? C'est une inquiétude fréquente et parfois un problème pour la gardienne. On peut toutefois le convaincre de prendre le biberon. Bien que des personnes vous disent d'introduire tôt les biberons afin d'habituer le bébé tout de suite, il est préférable d'attendre qu'il ait atteint l'âge de 4 à 6 semaines. À cet âge, il sera devenu expert au sein. Le fait de donner des biberons avant cet âge peut mener à une confusion entre tétine et mamelon, à une mauvaise succion du sein et à un sevrage hâtif. Ne présentez la tétine que deux semaines avant votre retour au travail. Il n'est pas utile de le faire avant ce moment.

Pour boire au biberon, votre bébé doit apprendre une nouvelle technique et cela demande parfois du temps et de la patience. Le biberon devrait être offert par une personne autre que la mère car bien des bébés n'accepteront pas un substitut quand ils savent que le sein est tout près. N'attendez pas que votre bébé soit affamé avant de lui offrir le biberon. En effet, il acceptera plus facilement une nouveauté s'il est relativement calme. Essayez différentes positions. Certains bébés aiment se faire prendre comme au moment de la tétée alors que d'autres préfèrent une position totalement différente, dos à la personne qui offre le biberon ou appuyé sur ses jambes relevées. Essayez différentes marques de tétines, avec des ouvertures de dimension différente. Placez la tétine près de la bouche du bébé et laissez-le la prendre plutôt que de l'introduire entre ses lèvres. Essayez de réchauffer la tétine avant de la présenter au bébé. Si votre bébé a décidé qu'il ne voulait pas prendre de biberon pour l'instant, rappelez-vous que même les très jeunes bébés peuvent boire à la tasse ou à la cuillère.

Pour réussir

Il n'est pas facile de concilier le travail et l'allaitement. Voici donc quelques suggestions qui pourraient vous être utiles.

Lorsque vous êtes à la maison avec votre bébé, allaitez-le fréquemment. Passez beaucoup de temps ensemble à vous blottir l'un contre l'autre et à jouer. Placez-le dans son siège pour bébé pendant que vous préparez le repas ou que vous faites la lessive. En allaitant fréquemment quand vous êtes ensemble – la nuit, les fins de semaine –, votre corps continuera à produire beaucoup de lait. Par contre, il vous faudra probablement extraire votre lait plus souvent le lundi ou le mardi pour compenser l'augmentation de la production que les tétées de la fin de semaine auront stimulée.

Certains bébés réagissent à l'absence de la mère pendant le jour en demeurant éveillés plus tard le soir et en tétant plus souvent la nuit. En couchant le bébé avec vous, vous pourrez ainsi prendre tout le repos dont vous avez besoin. Il pourra téter et il appréciera votre présence pendant que vous sommeillez. Les bébés qui tètent plus souvent la nuit dormiront probablement davantage chez la personne qui en prend soin le jour et prendront moins de biberons.

Réglez votre réveil-matin 15 minutes plus tôt pour allaiter votre bébé avant de vous lever. Ainsi il devrait être satisfait et cela vous permettra de vous préparer. Allaitez-le à nouveau avant de partir.

Pour prendre soin de votre bébé, choisissez une personne qui comprenne votre désir de poursuivre l'allaitement et qui vous appuie. La coopération de cette personne allégera un peu votre horaire travail-allaitement. Faites-lui part de l'importance de l'allaitement pour votre bébé et dites-lui ce qu'elle peut faire pour vous aider. Par exemple, elle peut éviter de donner un biberon à la fin de la journée, ou ne donner que quelques ml de lait, afin que votre bébé soit prêt à téter quand vous arriverez.

Certaines mères cherchent une personne pour prendre soin de leur bébé près de leur lieu de travail plutôt que près de chez elles. Cela leur permet d'allaiter leur bébé chez cette personne avant de se rendre au travail et avant de retourner à la maison après leur journée de travail. Si vous avez un très long trajet à faire, vous serez séparée moins longtemps de votre bébé. Parfois il est aussi possible d'aller allaiter votre bébé le midi ou même qu'on vous amène votre bébé pour ses tétées.

Investir dans un bon tire-lait vaut la peine. La plupart des femmes préfèrent le tire-lait électrique parce qu'il est facile à utiliser. Certains modèles fonctionnant à piles sont très utiles là où les prises de courant ne sont pas disponibles. Il est même possible de louer un tire-lait d'excellente qualité à long terme, à un coût inférieur à celui de l'achat de lait artificiel. Ces tire-lait sont des plus efficaces pour maintenir votre production de lait.

Des amis peuvent se demander pourquoi vous vous « préoccupez » d'allaiter alors qu'il y a tant d'autres choses qui demandent votre attention. Cherchez le soutien d'autres mères qui allaitent. Aux réunions de la Ligue La Leche, vous rencontrerez d'autres femmes qui allaitent tout en travaillant à l'extérieur.

Les suppléments

Si vous choisissez de ne pas extraire votre lait ou que vous n'avez plus envie de le faire, votre bébé peut boire du lait artificiel en votre absence. Chez les bébés de 4 à 6 mois et plus, un repas d'aliments solides peut remplacer une tétée ou plus. Vous pouvez continuer à l'allaiter quand vous êtes à nouveau réunis. Votre corps s'adaptera à ce nouveau rythme d'allaitement mais, au début, il vous faudra extraire un peu de lait pendant que vous êtes au travail pour soulager l'engorgement. Des tétées fréquentes à la maison garderont l'intérêt de votre bébé pour l'allaitement et lui rappelleront que sa mère est la source de cette nourriture remarquable.

❧ Sevrer ou non

La durée de votre allaitement ne concerne que vous et votre bébé. Il n'y a pas de durée minimum d'allaitement pas plus qu'il n'y a d'âge précis auquel le bébé doit être sevré. La mère peut décider de suivre son propre rythme pour le sevrage ou bien se laisser guider par son bébé. Tant que le bébé continue à téter, les seins continueront à produire du lait nutritif contenant d'importants facteurs immunitaires.

Il est préférable de sevrer graduellement pour permettre aux seins de s'adapter à une demande plus faible et afin d'adoucir la transition pour votre bébé. Un sevrage brutal, « du jour au lendemain », peut être très pénible aussi bien pour la mère que pour

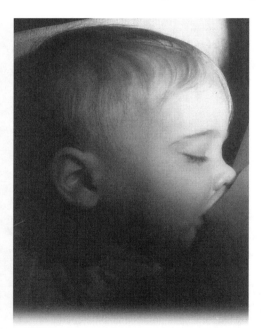

son bébé et peut entraîner une obstruction de canal ou une mastite. Surveillez les signes de stress chez votre bébé, si le sevrage va trop vite pour lui il vous le fera savoir.

Le processus du sevrage débute dès la première fois où votre bébé s'alimente à une autre source qu'au sein maternel, que ce soit un biberon de lait artificiel ou une cuillerée de banane écrasée. Le sevrage, c'est le remplacement graduel de l'allaitement par d'autres aliments et d'autres sources de nourriture. Les bébés âgés de presque 1 an et qui mangent une variété d'aliments peuvent passer directement du sein à la tasse. Par contre, les bébés plus jeunes ont généralement besoin de biberons. Demandez à votre médecin quel genre de nourriture conviendrait à votre bébé en remplacement de votre lait.

Éliminez une tétée à la fois. Offrez un biberon ou du lait à la tasse à un moment où votre bébé aurait tété habituellement. Attendez au moins deux à trois jours (il est même préférable d'attendre plus longtemps) avant d'éliminer une autre tétée. Si vos seins deviennent engorgés après avoir remplacé une tétée, extrayez une petite quantité de lait, juste assez pour réduire la pression et prévenir l'obstruction de canal. En peu de temps, vos seins s'habitueront à produire moins de lait et l'extraction deviendra inutile.

Il est plus facile de commencer par éliminer des tétées qui sont moins importantes pour votre bébé. Soyez prête à ralentir le rythme de sevrage si votre bébé devient agité ou collant, s'il est malade ou s'il semble percer des dents. La première tétée du matin et celles qui précèdent le sommeil sont généralement les dernières à disparaître. Prenez votre temps pour éliminer ces tétées, surtout si vous appréciez autant que votre bébé ces moments où vous êtes blottis l'un contre l'autre.

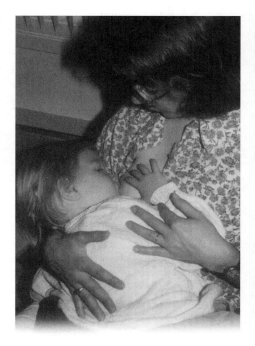

Un sentiment de tristesse accompagne parfois le sevrage, particulièrement si vous avez dû sevrer brutalement votre bébé pour des raisons indépendantes de votre volonté. Même chez les mères qui se sentent prêtes à sevrer, il peut y avoir un certain sentiment de perte. Le sevrage marque la fin d'une harmonie physique avec votre bébé, la fin d'une période très spéciale de votre vie. Rappelez-vous que votre tout jeune enfant a toujours fortement besoin de votre présence, même s'il l'exprime d'une autre façon.

Il est important d'être réaliste dans nos attentes face au sevrage. Cesser d'allaiter ne rend pas le maternage plus facile et ne pousse pas votre enfant à grandir plus vite. Votre bébé vous demandera encore beaucoup d'attention, et c'est un défi à relever que de lui en accorder autrement qu'en l'allaitant. Quand vous pouvez vous fier en toute quiétude à l'allaitement pour calmer ou endormir votre bébé, vous épargnez vraiment du temps. Le sevrage complet n'est pas toujours l'unique solution pour venir à bout des inquiétudes de la mère ou de son sentiment d'être prisonnière.

Si vous n'envisagez pas le sevrage, il n'y a rien de mal à poursuivre l'allaitement d'un bébé qui devient un jeune enfant. C'est tout ce qu'il y a de plus naturel à faire. Les bébés qui ont la possibilité de se sevrer à leur propre rythme continuent habituellement à téter bien au-delà de leur premier anniversaire. À mesure qu'ils apprennent à manger d'autres aliments et à boire à la tasse, l'allaitement perd de l'importance comme source de nourriture mais en gagne beaucoup comme source de réconfort et de consolation. Ces enfants se sèvrent peu à peu lorsqu'ils sont prêts.

Vous pouvez continuer à allaiter un bébé qui devient un jeune enfant.

L'allaitement d'un jeune enfant est plutôt inhabituel dans notre culture, peut-être parce que nous poussons nos enfants à devenir indépendants très tôt. Par contre, dans bien d'autres cultures, les enfants tètent jusqu'à l'âge de 2,5 ou 3 ans et même plus longtemps. L'idée d'allaiter un jeune enfant peut vous paraître étrange au départ mais elle devient plus sensée au fur et à mesure que votre bébé grandit et que vous pouvez constater ce que cela représente pour lui.

Si vous voulez en savoir davantage sur le sevrage naturel, guidé par le bébé, ou sur le sevrage en général, consultez la liste des ouvrages de références à la fin du livre ou encore téléphonez à une monitrice de la Ligue La Leche. Elle peut vous aider à sevrer votre bébé graduellement et tendrement ou vous encourager si vous voulez allaiter plus longtemps.

❧ Un monde de femmes qui allaitent

Les souvenirs d'allaitement durent toute la vie. Des études ont démontré que, de nombreuses années plus tard, les femmes se rappellent avec précision le temps qu'elles ont allaité, signe que l'allaitement d'un bébé marque fondamentalement leur vie. Nourrir un bébé au sein est à la fois énormément pratique et absolument étonnant. Profitez de ces moments qui passent et gardez précieusement ces souvenirs à mesure que votre enfant grandit.

L'expérience de l'allaitement unit toutes les femmes malgré les barrières de langue, de culture et de nationalité. Chacune se sent liée à toutes les femmes qui allaitent puisque nous cherchons toutes à donner le meilleur de nous-mêmes à nos bébés. Alors la prochaine fois que vous verrez une mère allaiter, souriez-lui et prenez conscience du lien maternel qui nous unit toutes. Parlez de l'allaitement avec vos amies, devenez membre de la Ligue La Leche, élargissez vos connaissances sur l'allaitement dans le monde. Si les mères affirmaient plus ouvertement leur joie d'allaiter et l'importance de l'allaitement pour leur bébé, alors nous pourrions espérer avoir un monde meilleur pour nos enfants et nos petits-enfants.

❧

Notes

Page 3   Le bébé plus âgé reçoit une plus grande concentration de facteurs immunitaires, d'après A.S. Goldman et autres, «Immunologic components in human milk during the second year of lactation», *Acta Paediatr Scand*, n° 722, 1983, p. 133-134.

Les bébés allaités sont moins malades et moins susceptibles d'être victimes du syndrome de mort subite du nourrisson, d'après A.S. Cunningham et autres, «Breastfeeding and health in the 1980s: a global epidemiologic review», *J Pediatr*, n° 118, 1991, p. 659-666.

Le lait de chaque mère protège le bébé contre beaucoup de maladies présentes dans l'entourage, d'après R.E. Kleinman et W.A. Walker, «The enteromammary immune system: an important concept in breast milk host defense», *Digest Dis Sci*, n° 24, 1979, p. 876.

Page 4   Les éléments nutritifs du lait maternel; pour un résumé de la documentation, consulter le chapitre «Biochemistry of human milk», dans *Breastfeeding: A Guide for the Medical Profession*, de R. Lawrence, 3ᵉ édition, Mosby, St-Louis, 1989.

Enzymes et hormones du lait maternel, d'après M. Hamosh, «Enzymes in human milk», dans R.R. Howell et autres, *Human Milk in Infant Nutrition and Health*, Charles C. Thomas, Springfield, Illinois, 1986; et d'après L.A. Ellis et M.F. Picciano, «Milk-borne hormones: regulators of development in neonates», *Adv Exp Med Bio*, n° 262, 1991, p. 69-76.

Page 18   Les pratiques de l'hôpital jouent un rôle dans le succès de l'allaitement, d'après G. Nylander et autres, «Unsupplemented feeding in the maternity ward: positive long-term effects», *Acta Obstet Gynecol Scand*, n° 70, 1991, p. 205-209.

Page 20   Un emploi à temps partiel et un retour au travail retardé facilitent l'allaitement, d'après K.G. Auerbach et E. Guss, «Maternal employment and breastfeeding: a study of 567 women's experiences», *Am J Dis Child*, n° 138, 1984, p. 958-960.

Page 29   Les bébés décident d'eux-mêmes s'ils ont fini de téter, d'après M.W. Woolridge, «Do changes in pattern of breast usage alter the baby's nutrient intake?», *Lancet*, n° 336, 1990, p. 395-397.

Page 34   Les tétées fréquentes aident à prévenir la jaunisse et l'hypoglycémie, d'après D. Tudehope et autres, «Breastfeeding practices and severe hyperbilirubinaemia», *J Paediatr Child Health*, n° 27, 1991, p. 240-244; et d'après J.M. Hawdon et autres, «Patterns of metabolic adaptation for preterm and term infants in the first neonatal week», *Arch Dis Child*, n° 67, 1992, p. 357-365.

L'alimentation au biberon est plus stressante physiologiquement que l'allaitement, d'après P. Meier, «Bottle and breast feeding: effects on transcutaneous oxygen pressure and temperature in small preterm infants», *Nurs Res,* n° 37, 1988, p. 36-41.

Page 35 Les suppléments de lait artificiel risquent de causer des allergies, d'après A. Host, « Importance of the first meal on the development of cow's milk allergy and tolerance », *Allergy Proc*, n° 12, 1991, p. 227-232.

Page 42 La douleur aux mamelons est causée par le bébé qui ne prend que le mamelon, d'après K.B. Frantz, « Techniques for successfully managing nipple problems and the reluctant nurser in the early postpartum period », *Human Milk : Its Biological and Social Value*, Édition S. Freier et A. Eidelman, Excerpta Medica, Amsterdam, 1980.

Page 43 On peut trouver plus d'information sur la douleur aux mamelons, les problèmes de prise du sein et de succion dans S.M. Maher, *An Overview of Solutions to Breastfeeding and Sucking Problems*, Ligue internationale La Leche, Franklin Park, Illinois, 1988 ; dans N. Mohrbacher et J. Stock, *The Breastfeeding Answer Book*, Ligue internationale La Leche, Franklin Park, Illinois, 1997 ; et dans les documents de Chele Marmet et Ellen Shell du Lactation Institute, Encino, Californie.

Page 46 La lanoline modifiée permet à la peau de conserver son hydratation et aide à guérir, d'après D.A. Sharp, « Moist wound healing for sore or cracked nipples », *Breastfeeding Abstracts*, n° 12, 1992, p. 19.

Page 54 Les médecins ne s'entendent pas sur le moment où il faut traiter la jaunisse du nouveau-né ; pour connaître les recherches et les traitements recommandés, consulter T.B. Newman et M.J. Maisels, « Evaluation and treatment of jaundice in the term newborn : a kinder, gentler approach », *Pediatrics*, n° 89, 1992, p. 809-818.

Page 63 Cette technique d'extraction manuelle a été conçue par Chele Marmet. Pour plus de détails, consulter le feuillet « Extraction manuelle de lait maternel. La technique Marmet », Ligue La Leche, Montréal, Québec, 1981.

Page 65 Directives pour la conservation du lait maternel, d'après J. Barger et P. Bull, « A comparison of the bacterial composition of breast milk stored at room temperature and stored in the refrigerator », *Int J Childbirth Ed*, n° 2, 1987, p. 29-30 ; et d'après R. Sosa et L. Barness, « Bacterial growth in refrigerated human milk », *Am J Dis Child*, n° 141, 1987, p. 111-112.

Page 66 Le lait maternel ne devrait pas être chauffé au four à micro-ondes, d'après R. Quan et autres, « Effects of microwave radiation on anti-infective factors in human milk », *Pediatrics*, n° 89, 1992, p. 667-669.

Page 70 Lien entre la capacité de s'éveiller et le syndrome de mort subite du nourrisson, d'après J. McKenna et autres, « Sleep and arousal patterns among co-sleeping mother-infant pairs : implications for SIDS », *Am J Phys Anthro*, n° 83, 1991, p. 331-347. McKenna laisse supposer que le fait de dormir avec sa mère protège le bébé du syndrome de mort subite du nourrisson.

Page 71 Les bébés allaités commencent à dormir toute la nuit à un âge plus avancé, d'après M.F. Elias et autres, « Sleep/wake patterns of breast-fed infants in the first 2 years of life », *Pediatrics*, n° 77, 1986, p. 322-329 ; et d'après Jeaton-Evans et A.E. Dugdale, « Sleep patterns of infants in the first year of life », *Arch Dis Child*, n° 63, 1988, p. 647-649.

Page 75   Le manque de lait est la raison la plus souvent mentionnée pour cesser l'allaitement, d'après P.D. Hill, « The enigma of insufficient milk supply », *MCN*, n° 16, 1991, p. 313-315 ; et d'après C. Hillervik-Lindquist, « Studies in perceived breast milk insufficiency », *Acta Paediatr Scand*, suppl. 376, 1991, p. 6-27.

Page 78   Les bébés allaités prennent du poids plus lentement après l'âge de 4 mois, d'après K. Dewey et M.J. Heinig, « Are new growth charts needed for breastfed infants? », *Breastfeeding Abstracts*, n° 12, 1993, p. 35-36 ; et d'après K.G. Dewey et autres, « Breastfed infants are leaner than formula-fed infants at one year of age : the DARLING study », *Am J Clin Nutr*, n° 57, 1993, p. 140-145.

Page 86   La qualité du lait maternel est remarquablement la même, malgré la diversité des habitudes alimentaires des mères ; consulter « Diet and dietary supplements for the mother and infant », dans R. Lawrence, *Breastfeeding : A Guide for the Medical Profession*, 3ᵉ édition, Mosby, St-Louis, 1989.

Page 87   La perte de poids chez les mères qui allaitent survient généralement trois à six mois après la naissance ; consulter « Lactation and postpartum weight loss », dans M. Heinig et autres, *Mechanisms Regulating Lactation and Infant Nutrient Utilization*, n° 30, 1992, p. 397-400.

Page 88   Les enfants de fumeurs ont plus de problèmes respiratoires, d'après J. Colley et R. Corkhill, « Influence of passive smoking and parental phlegm on pneumonia and bronchitis in early childhood », *Lancet*, n° 2, 1974, p. 1031.

Une forte consommation de tabac peut avoir un effet sur votre production de lait, d'après F. Vio et autres, « Smoking during pregnancy and lactation and its effects on breast-milk volume », *Am J Clin Nutr*, n° 54, 1991, p. 1011-1016.

Page 89   La plupart des médicaments sont sans danger pour la mère qui allaite et son bébé allaité ; pour une liste exhaustive des médicaments compatibles avec l'allaitement, consulter la déclaration de l'American Academy of Pediatrics Committee on Drugs, « Transfer of drugs and other chemicals into human milk », *Pediatrics*, n° 84, 1989, p. 925.

Page 91   Taux de grossesse de seulement 2 p. 100 durant les six premiers mois qui suivent l'accouchement chez les femmes qui allaitaient uniquement, d'après K. Kennedy et autres, « Consensus statement on the use of breastfeeding as a family planning method », *Contraception*, n° 39, 1989, p. 477-496.

Les effets des méthodes hormonales de contraception sur l'allaitement, d'après l'Organisation mondiale de la santé (OMS), Groupe d'étude sur les contraceptifs oraux, Programme spécial de recherche, de développement et de formation, reproduction chez l'homme, « Effects of hormonal contraceptives on breast milk composition and infant growth », *Stud Fam Plann*, n° 19, 1988, p. 361-369 ; et d'après I.S. Fraser, « A review of the use of progestogen-only minipills for contraception during lactation », *Reprod Fertil Dev*, n° 3, 1991, p. 245-254.

Page 107 Les femmes se rappellent avec précision la durée de leur allaitement, d'après L.J. Launer et autres, « Maternal recall of infant feeding events is accurate », *J Epidemiol Commun Health*, n° 46, 1992, p. 203-206.

Comment rejoindre
la Ligue La Leche

EN BELGIQUE

La Leche League Belgique
32(2) 21 90 0 76

AU CANADA

Ligue La Leche
C.P. 37046
Saint-Hubert, (Québec)
Canada, J3Y 8N3
Tél. : (514) LA LECHE

EN FRANCE

La Leche League France
Boîte postale 18
78620 L'Étang la Ville
France
33 (1) 39.58.45.84

AU LUXEMBOURG

35 (2) 43 7730

EN SUISSE

Ligue La Leche Suisse
Case postale 197
8053
Zurich, Suisse
41 (56) 83.15.80

LA LIGUE INTERNATIONALE LA LECHE

P.O Box 4079
1400 N. Meacham Road
Schaumburg,
Ilinois, 60168-4079
États-Unis
(847) 519-7730

La Ligue La Leche publie et vend de nombreux livres et feuillets portant sur l'allaitement, la grossesse et le rôle de parent, que ce soit dans des conditions normales ou dans des circonstances particulières. Plusieurs modèles de tire-lait de même que des boucliers et des dispositifs d'aide à l'allaitement sont également en vente. Pour recevoir de l'information sur la Ligue La Leche et sur le matériel disponible, contactez le bureau le plus près de chez vous.

❧

Livres

Allaitement

L'Art de l'allaitement maternel, 4ᵉ édition revue et augmentée,
        Ligue internationale La Leche, Montréal, Québec, 1995.
        Un classique de la LLL, il contient tout ce que vous devez
        savoir sur l'allaitement de votre bébé.
        Un guide pratique de l'allaitement et du maternage.
        Nouvelle édition révisée. Plus de 400 pages.

Le bambin et l'allaitement, de Norma Jane Bumgarner,
        Ligue internationale La Leche, Montréal, Québec.

Jumeaux: allaitement et maternage, de Karen K. Gromada,
        Ligue internationale La Leche, Montréal, Québec.
        Oui, il est possible d'allaiter des jumeaux. Écrit par une
        mère de jumeaux, ce livre traite tout autant de l'allaitement
        que de la vie avec deux bébés.

Les pleurs du bébé

Que faire quand bébé pleure?, de William Sears
        Ligue internationale La Leche, Montréal, Québec.
        Chaque bébé a ses journées où il est plus «difficile». Alors tous les
        parents tireront profit de la lecture de ce livre. Ils y puiseront des
        trucs pour consoler leur bébé; ils apprendront à reconnaître les
        différents types de pleurs et à comprendre les besoins de bébé.

Dormir avec son bébé

Être parent le jour… et la nuit aussi, de William Sears,
        Ligue internationale La Leche, Montréal, Québec.
        Comment trouver assez de sommeil lorsqu'on a de jeunes enfants?
        L'arrangement idéal est celui qui permettra à tous les membres
        de la famille d'obtenir le maximum de sommeil.

Nutrition

Mille et une recettes santé, de Roberta Johnston, Ligue internationale La
        Leche, Montréal, Québec.
        Le livre de recettes idéal pour tous ceux qui désirent amorcer
        des changements dans leur alimentation ou tout simplement
        varier leur menu quotidien.

La petite histoire derrière cet ouvrage

L'Allaitement tout simplement est basé sur les connaissances du processus d'allaitement accumulées depuis 40 ans par la Ligue internationale La Leche. Mais cet ouvrage a aussi sa propre histoire, étroitement liée à celle de son auteure.

Bien que *L'Allaitement tout simplement* porte sur l'ABC de l'allaitement, j'en avais déjà écrit plus de la moitié avant d'avoir une expérience « normale » de l'allaitement. En effet, allaiter mes deux premiers enfants a été très difficile malgré mon attitude positive et les nombreuses connaissances que j'avais accumulées au cours de mes sept années de travail au siège social de la Ligue internationale La Leche. C'est le souvenir de ces moments qui m'a aidé à ne pas perdre de vue non seulement les façons de surmonter les problèmes mais aussi les raisons qui font que l'allaitement en vaut la peine.

Mon fils aîné, Kristoffer, est né en décembre 1986 juste comme je finissais d'éditer *Becoming a Father*, du docteur William Sears. Kris a été l'un des rares bébés qui ne savaient pas comment téter. Durant des semaines, nous nous sommes débattus avec l'allaitement, la mise au sein et les problèmes de succion. Kris a perdu beaucoup de poids et reçu des biberons de lait artificiel. J'étais découragée. J'ai utilisé un dispositif d'aide à l'allaitement, pris note de tous ses boires et répété « ouvre » environ un million de fois pour l'encourager à prendre le sein. Apprendrait-il un jour à téter ? Je me sentais misérable.

Un jour, ma sœur m'a rendu visite avec ses deux enfants. Quand Teddy, son bébé de 4 mois, a manifesté le besoin de téter, Linda s'est assise dans notre nouveau fauteuil de cuir pour l'allaiter, Kris et moi les observions de la berceuse. Ted, aussitôt à son affaire,

Traduit par Marielle Larocque

téta avidement quelques minutes jusqu'à ce qu'il capte le regard de Linda et qu'il échappe le mamelon, le temps de lui adresser un grand sourire édenté tout à fait irrésistible.

« Voilà ce que je veux, ai-je pensé. C'est ce que désire retirer de l'allaitement. »

Cet objectif m'a aidée à traverser plusieurs semaines de frustration. Cela était plus important que n'importe quelle raison scientifique d'allaiter mon bébé. Comment les macrophages, les immunoglobulines, les hormones de croissance ou les niveaux de vitamine et de zinc pouvaient-ils à mes yeux l'emporter sur le plaisir évident de Kristoffer, enfin devenu un expert, à 3 mois, dans l'art de téter, gigotant dans mes bras, les yeux brillants, attendant impatiemment la tétée. Kris a continué à téter des années, rattrapant le temps perdu pendant les premières semaines.

Après la naissance de Kristoffer, j'ai continué à faire du travail d'édition à temps partiel pour le service des publications de la Ligue Internationale La Leche. Kris avait 3 ans quand on m'a demandé d'écrire ce qui est devenu *L'Allaitement tout simplement*. C'est Judy Torgus, éditrice en chef, monitrice depuis de nombreuses années, qui en a eu l'idée. Judy pensait qu'il nous fallait un livre concis qui serait plus facile à lire pour une nouvelle mère que les 458 pages de *L'Art de l'allaitement maternel*. Bien que le livre se devait d'être plus court, nous étions toutes deux d'accord dès le début qu'il était aussi important de reconnaître les sentiments qui accompagnent la réussite de l'allaitement mais aussi ceux que les difficultés provoquent. Être motivée à résoudre un problème est aussi important que de savoir comment le régler.

J'ai commencé à écrire ce livre alors que j'étais enceinte de mon deuxième enfant. J'ai réussi à écrire la moitié du premier chapitre (quatre pages !) avant que le besoin de sommeil attribuable à mon état soit plus pressant que l'engagement que j'avais pris au sujet de ce travail. Eliza est née en décembre 1990. Elle non plus ne semblait pas tellement bien téter au sein dans les heures suivant sa naissance. La lutte que j'avais livrée pour allaiter Kris est subitement devenue une expérience de grande valeur et j'ai fait bon usage de ce que j'avais appris pour enseigner à ce nouveau bébé à bien prendre le sein. Cette fois, du moins, j'étais raisonnablement confiante qu'elle apprendrait à la longue, mais là encore, j'ai eu grand besoin de soutien. Eliza est née avec le syndrome de Down, et une anomalie cardiaque liée à cet état l'empêchait de prendre du poids rapidement. Mais elle a fini par apprendre à téter et le lait maternel l'a gardée forte et en bonne santé jusqu'à ce que l'anomalie cardiaque soit corrigée par une intervention chirugicale à l'âge de 10 mois. Avec cette expérience, j'ai développé une attitude optimiste dans mes contacts avec les professionnels de la santé. J'espère que cela se reflète dans *L'Allaitement tout simplement*.

Le livre a été mis de côté au profit d'autres projets durant environ un an après la naissance d'Eliza. C'est alors qu'une nouvelle grossesse m'imposa d'elle-même une nouvelle échéance : « il vaut mieux écrire ce livre immédiatement, parce que tu n'auras plus le temps de le faire quand tu seras mère de trois enfants ! » Je me suis mise à la tache et j'ai écrit trois chapitres et demi (sur six) avant de succomber de nouveau au sommeil devant mon ordinateur. Kurt est né en octobre 1992. Il a bien tété dès le début, ce qui m'a semblé un miracle. J'ai pris quelques semaines de congé d'écriture, mais très tôt Judy m'a rappelé qu'il était beaucoup plus facile de m'asseoir à mon clavier avec un bébé de 2 mois qui commence tout juste à découvrir ses mains qu'avec un bébé de 6 mois qui a appris à les utiliser. Au travail ! Après avoir endormi les deux aînés, je m'assoyais devant l'ordinateur pour allaiter Kurt et je tapais avec une main. Parfois, il dormait toute la soirée, mais d'autres fois, ses sourires et son désir de sociabiliser ralentissaient avec la progression du livre. Mais comment aurais-je pu écrire sur les moments de tendresse ou les joies de l'allaitement sans m'arrêter pour en jouir ?

Les six premiers chapitres du livre traitent de tout ce que la plupart des mères ont besoin de savoir pour allaiter au cours des premiers mois. L'influence de Kurt sur le livre s'est surtout fait sentir dans le chapitre sur les ajustements suivant l'accouchement « La vie avec un bébé allaité ». Judy Torgus désirait que je travaille à ce chapitre avant que Kurt naisse, pensant que j'aurais une meilleure perspective du sujet en étant hors du brouillard qui enveloppe souvent les premiers mois suivant la naissance d'un bébé. Cette période avec mes deux premiers enfants m'avait laissé des souvenirs chargés de tension, d'anxiété et de doute, tellement j'étais abattue par des problèmes d'allaitement. J'ai admis que je ne voulais pas écrire sur ce sujet au moment même où je vivais cette période, mais je ne pouvais pas non plus faire avancer ce chapitre pendant que j'étais enceinte.

Puis ce fut l'arrivée de Kurt, un bébé merveilleusement facile, qui ne demandait qu'à être dans mes bras ; pour ce qui est de l'allaitement, il se débrouillait très bien tout seul. Sa confiance grandissante et sa première esquisse de sourire semblait dire : « sois soulagée, maman ». Grâce à Kurt, j'ai pu écrire que la période postnatale pouvait être savourée et non pas seulement surmontée.

L'Allaitement tout simplement serait incomplet sans l'expérience de milliers de membres de la Ligue Le Leche pour l'appuyer. Ce que j'ai appris lors des conférences et des séminaires pour médecins et dans mes conversations avec d'autres mères en tant que monitrice de la Ligue internationale La Leche a aidé à donner forme à *L'Allaitement tout simplement.*

Au cours d'un souper, Marian Thompson, une des fondatrices de la Ligue Internationale La Leche, m'a demandé où en était rendu le livre. Je lui ai dit que le manuscrit était terminé. Puis nous avons parlé de Kurt qui était dans mes bras. Elle le rencontrait pour la première fois. « Alors tu écrivais sur l'allaitement pendant que tu le vivais pleinement, me dit-elle. Tu sais, c'est ainsi que nous avons écrit le premier *Womanly Art of Breastfeeding* (*L'Art de l'allaitement maternel*). C'est ce qu'il y a de mieux. Elle sourit, revivant ses souvenirs. C'est vraiment la meilleure manière. »

Gwen Gotsch

Index